GELİŞTİREN
ANNE-BABA

DOĞAN CÜCELOĞLU, İstanbul Üniversitesi psikoloji bölümünden mezun olduktan sonra ABD'de Illinois Üniversitesi'nde Bilişsel Psikoloji (algılama, düşünme, iletişim) alanında doktorasını yapmıştır.

Daha sonra Türkiye'de Hacettepe ve Boğaziçi üniversitelerinde görev yapan Cüceloğlu, Fulbright bursuyla bir yıl süreyle Berkeley'deki Kaliforniya Üniversitesi'nde ziyaretçi öğretim üyesi olarak çalışmalarda bulunmuştur. 1980-1996 yılları arasında ABD'de Fullerton şehrindeki Kaliforniya Eyalet Üniversitesi'nde görev yapan Cüceloğlu'nun, kırkı aşkın Türkçe ve İngilizce bilimsel makalesi yayınlanmıştır. 1996 yılından bu yana Türkiye'de üniversite öğrencilerine, öğretmenlere, ana-babalara ve işadamlarına yönelik seminerlere, konferanslara ve atölye çalışmalarına ağırlık vermiştir.

1990'dan bu yana Cüceloğlu, Türk insanının düşünce, duygu ve davranışlarını bilimsel psikoloji kavramları içinde inceleyen kitaplar yazmaktadır.

YAZARIN TÜM KİTAPLARI

Başarıya Götüren Aile • Bir Kadın Bir Ses
• Damdan Düşen Psikolog (söyleşi: Canan Dilâ)
• Gerçek Özgürlük • Geliştiren Anne-Baba • İçimizdeki Biz
• İçimizdeki Çocuk • İnsan İnsana • İnsan ve Davranışı
• İletişim Donanımları • Korku Kültürü
• 'Mış Gibi' Yaşamlar • 'Mış Gibi' Yetişkinler
• Onlar Benim Kahramanım • Savaşçı

www.dogancuceloglu.net

Doğan Cüceloğlu

GELİŞTİREN
ANNE-BABA

Remzi Kitabevi

GELİŞTİREN ANNE-BABA / Doğan Cüceloğlu
Felsefi Psikoloji

© Remzi Kitabevi, 2016

Yayına hazırlayan: Ömer Erduran – Nezahat Arslan
Kapak fotoğrafı: Volodymyr Tverdokhlib/123RF
Kapak tasarımı: Ömer Erduran

ISBN 978-975-14-1748-0

BİRİNCİ BASIM: Kasım 2016

Kitabın basımı 50 000 adet yapılmıştır.

Remzi Kitabevi A.Ş., Akmerkez E3-14, 34337 Etiler-İstanbul
Sertifika no: 10705
Tel (212) 282 2080 Faks (212) 282 2090
www.remzi.com.tr post@remzi.com.tr

Baskı ve cilt: Seçil Ofset
100. Yıl Mah., Matbaacılar Sitesi
4. Cad. No: 77, Bağcılar-İstanbul
tel (212) 629 0615 Sertifika no: 12068

İçindekiler

*Ellerinden gelenin en iyisini yapmaya
gayret eden anne ve babalar...
Sizler gerçek kahramanlarsınız.*

TEŞEKKÜR

Bu kitabın oluşmasında, yazılmasında ve son şeklini almasında birçok insanın emeği var. Öncelikle, yerli ve yabancı yüzlerce araştırmacının, düşünürün, yazarın eserlerinden yararlandım. Bu araştırmacı ve yazarlara teşekkür duygusu içindeyim. (Onların eserlerini kaynaklarda listeledim.) Kitabın oluşması yıllar aldı. Eşim Yıldız bu kitabı yazmamı en az on yıldır ısrarla söylüyordu. Ve bu on yıl içinde çevremde birçok değerli insanla kitapta yer alan kavramlar üstüne zaman zaman sohbet ettim. Bu konuda, Yıldız'a, İhsan Özen'e, Nurdoğan Arkış'a, Polat Doğru ve Yavuz Durmuş'a teşekkür borçluyum. Ayrıca seminerlerime katılarak ya da yazarak soru soran ve öykülerini paylaşan değerli okurlarıma da teşekkür ediyorum.

Gümüldür'de Ege Denizi'nin kıyısında bana evlerini açan değerli insanlar Tülin ve Adil Hacıevliyagil'e özel bir teşekkür borcum var. Umarım daha nice kitaplarda kendilerine teşekkür etme olanağı bulurum.

Kitabın ilk müsveddesini gözden geçiren ve bana geribildirim de bulunan, aşağıda isimlerini verdiğim dostlara teşekkür ediyorum; her birinin katkısı farklı ve önemli oldu: Emre Pekçetinkaya, Ercan Yıldız, Gizem Çil, Işıl Tokcan, Lokman Ayva, Mustafa Şahin, Mustafa Yalçın, Nimet Mertan, Ramazan Bozkurt, Şerafettin Can Polat, Şermin Çarkacı, Umay Divi.

Kitabın müsveddelerinin tekrar tekrar yazılmasında güler yüzüyle bana hizmet veren değerli sekreterim Berna Azımak'a da teşekkür borçluyum.

Yıldız Gül Hacıevliyagül Cüceloğlu'nun yeri farklı ve kendisi her kitapta özel bir teşekkürü hak ediyor. Ben bu kitabı yazarken Yıldız da kendi kitabı üzerinde çalışıyordu. Zaman ayırdı, ilk müsveddeyi ve daha sonraki müsveddeleri titizlikle gözden geçirdi. Yaptığı katkılardan dolayı okurlarım adına kendisine içten teşekkür ediyorum.

Remzi Kitabevi önemli, tarihi anlamı olan ciddi bir kuruluş. Ben bunun farkındayım ve Cumhuriyet ile neredeyse aynı yaşta olan bu kuruluşa saygı duyuyorum. Aynı zamanda bana bir aile gibi geliyor. Değerli insan, dostum Ömer Erduran'ın hem kapak çizimi hem de editörlük dokunuşları kendine özgü ve yeri doldurulamaz. Bu kitapta bir şansım daha oldu; sevgili Remzi Kitabevi'nin deneyimli yöneticisi Erol Erduran'dan rica ettim; o da kitabı gözden geçirmeyi kabul etti. Her ikisine de içten teşekkürlerimi sunuyorum.

Remzi Kitabevi'nde her zaman destek gördüğüm Fevzi Kılınçarslan'a ve Öner Ciravoğlu'na dostlukları, kitabı daha okunur hale getiren Nezahat Arslan Palabıyık'a dokunuşları için teşekkür borçluyum.

Sık sık belirttiğim gibi anne-baba olmak dünyanın en sorumluluk isteyen işi. Umarım bu kitap onlara yardımcı olur.

BAŞLARKEN

Her ülkede anne ve babalık zor, ama değişim içinde olan ülkemde daha da zor. Bir düşünün: Nesiller boyu korku kültürü içinde mayalandık. "Güç"ten başka hiçbir değer tanımayan korku kültüründe çocuk terbiyesi utandırmaya ve dayağa dayanır. Böyle bir çocuk terbiyesi ya "arsız" ya da "pısırık" insan yetiştirir. Yiğit anne ve babalar görüyorum; önceki nesilden içlerine yerleşmiş korku kültürü kalıplarının farkına varıp, onlardan kurtulmaya ve yeni bakış tarzları kazanmaya çalışıyorlar; bilinçli bir mücadele vererek, onur eşitliğine inanan sağlıklı bir insan yetiştirmek istiyorlar. Onları alkışlıyorum.

Buna karşın, içinde yetiştikleri korku kültürünün kalıplarının farkında olmayan, insanı bir araç olarak gören, çocuklarına olduğu kadar kendilerine de saygı duymayan anne-babaları görünce içim acıyor. Kucaklarındaki o muhteşem varlıkların hayatlarını bilmeden mahvetmelerini görmeye dayanamıyorum.

Sabırsızım çünkü anne-babaların kucaklarında tuttukları sadece kendi çocukları değil, aynı zamanda benim ülkemin geleceği. Bu çocuklar, Türkiye'nin çağdaş uygar bir ülke olmasının anahtarı.

Kitabı bu inançla yazdım. Çağdaş uygar bir aile olmadan çağdaş uygar bir ülke olunamaz; mümkün değil.

Ve Türkiye'nin oluşturacağı çağdaş uygarlığın, bireysellikte aşırılığa giden kapitalist sistem içinde yalnızlaşmış Batı insanına sağlıklı bir alternatif getirebileceğine inanıyorum.

Çocuklarımızın olabileceklerinin en iyisi olarak yetişmeleri bir ekip işidir ve bu ekibin en önemli üyeleri anne-baba ve öğretmenlerdir. Bir toplumun uygarlığı, çocuklarına gösterdiği sorumluluk duygusunda kendini gösterir. Çocuklarımızın bir an önce sağlıklı ve özgür bir aile ortamına kavuşması dileğiyle, bu kitabı anne ve baba olma cesareti gösterenlere adıyorum. Bundan daha kutsal bir uğraşı düşünemiyorum.

Kitapla ilgili birkaç not
Akademik bir kitap havası vermemek için kitap içine bilimsel araştırma kaynaklarını serpiştirmedim. Kitabın sonunda bilimsel araştırmaları da kapsayan geniş bir kaynakça yer alıyor.

Tanımladığım kavramların bazılarının alt yapıları daha önce yazdığım kitaplarda bulunduğu için özet olarak içeriklerini sonda verdim.

BİRİNCİ BÖLÜM

Kucağımda Tuttuğum
Bu Çocuk Özünde Nasıl Biri?

Çocuğunu ilk kucağına aldığında, dalga dalga gelen sevinç, heyecan, telaş, kaygı ve sorumluluk duygularının arasında, her anne-babanın kafasından şöyle bir soru geçer: Kucağımda tutuğum bu küçük insan özünde nasıl biri? Haydi, kucağınızda tuttuğunuz bu küçük insanı biraz yakından tanımaya çalışalım.

Önemsenecek Muhteşem Bir Potansiyel

Çocukların masumca soruları
felsefenin, bilimin ve sanatın kaynağıdır.

Kucağınızda tuttuğunuz, muhteşem bir insan potansiyelidir. Bu muhteşem potansiyele bir göz atalım. Sinir sisteminde 124 milyar nöron (sinir hücresi) vardır. Zaman içinde, kişinin deneyimlere paralel olarak, bu nöronlar kendi aralarında sinaps adı verilen bağlantılar geliştirirler. Sinapslar belleğin ve öğrenmenin oluştuğu yerlerdir. İnsanın sinir sisteminde 10^{24} (on üstü yirmi dört) yani trilyonlarca sinaps bulunduğu hesaplanmaktadır. Bilgisayar terminolojisiyle ifade edecek olursak, nöron ve sinaps sayısı *donanım* (hardware) olarak tanımlanabilir. Bu demektir ki, çocuk hemen hemen sınırsız denebilecek bir belleme ve anımsama potansiyeli ile donanmış olarak doğar.

Çocuk sadece donanım ile gelmez, doğuştan bir *yazılıma* da (software) sahiptir. Kısaca bir bakalım: Her çocuk merak güdüsüyle doğmuştur; merak etmemek elinde değildir. Doğuştan getirdiği bir temel komut ona, "Belirsizlikten rahatsız olacaksın, anlamlı hale getirmek için elinden geleni yapacaksın," der. Çocuk merak ederek öğrendiği şeyleri birbiriyle ilişki içine sokmak zorunluğunu hisseder. Doğuştan getirdiği yazılım ona, "Öğrendiğin şeyler arasında ilişki kur," demektedir. Yaşam deneyimleri ve ilişki kurduğu şeylerin sayısı artıkça içsel yazılımı ona, "Üst düzey ilişkiler kur, kapsayıcı bütünsel sistemler geliştir," der. Böylece zaman içinde sadece "ev" değil, "komşu", "mahalle", "semt", "kasaba", "kent" ve "bölge" gibi bilişsel birimler oluşturur.

Çocuk öğrendikçe, anladıkça ve sorgulamaya başlayıp daha büyük sistemler kurmaya başladıkça *üstesinden gelinecek yeni yaşam deneyimleri* aramaya başlar. Yaşamın belirli bir alanını kavrayıp anladıktan sonra, o alana komşu olan ve henüz açıklığa kavuşmamış başka bir deneyim alanını sorgulamaya, didiklemeye başlar ve orada da bir sistem geliştirerek bütünselliğe ulaşmaya çalışır.

Ünlü filozof Thomas Hobbes şöyle bir gözlemde bulunmuştur: "Gördüğü şeylerin sebeplerini araştırmak insanoğlunun doğasına özgüdür. Bazıları daha çok araştırır, bazıları daha az; ama herkes kendi iyi ya da kötü kaderlerinin sebeplerini araştıracak kadar meraklıdır." Bazı aileler, bazı toplumlar çocuğun araştırıcı yönüne değer verir, geliştirmek ister; bazı aileler ve toplumlar ise bu yönün gelişmesinden korkar ve engellemeye çalışır. Bu iki farklı tutum zamanla farklı toplumlar oluşturur.

Albert Einstein, "Önemli olan sorgulamaktan vazgeçmemektir," demiştir. Ve çocuk, aklının özgürlüğüne saygı duyulan bir ortamda büyüyorsa, sorgulamaktan hiç vazgeçmez; sürekli sormaya, sorunu didiklemeye devam eder. Ve daha da önemlisi sorup didiklemekten, araştırmaktan, keşfetmekten zevk alır. Keşfetmek, bir çocuğun en çok zevk aldığı şeydir.

Yukarıda anlattığım donanım ve yazılımla doğan her bir çocuk doğuştan potansiyel bir filozof, sanatçı ve bilim insanı adayıdır. Bu donanım ve yazılımların farkında olmak ve çocuğa bunları kullanma olanağı sağlamak, çocuğun gelişimi açısından son derece önemlidir.

Kucağınızdaki çocuğa baktığınızda onun böyle bir potansiyele sahip biri olduğunu görmek sizin için önemli mi? Önemliyse, çocuğunuz toprağını ve iklimini sevmiş gür bir ağaç gibi gelişir.

Akatlar'da Zeytinoğlu Caddesi'nde yürüyorum. Önümde, bir büyükanne ve elinden tuttuğu iki buçuk yaşlarındaki kız torunu ilerliyor. Büyükannenin acelesi olmalı; tamamen yürümeye odaklanmış, adımlarını ulaşmak istediği yere bir an önce varmak için atıyor. Çocuk ise çevresindeki her şeyle ilgileniyor. Gürültülü bir motosiklet geçti; çocuk durdu ve o gözden kayboluncaya kadar arkasından baktı. Biraz ileride çimenin üzerine uzanmış köpeği fark etti; kendi kendine bir şeyler söyledi, büyükanneye bakarak tekrar etti. Büyükanne ise hiç oralı olmadan onu çekiştirip yürümeye devam etti. Birkaç adım attı, bir karga gak gak diyerek ağaçtan uçtu başka bir ağaca kondu. Çocuk kargaya baktı, ağaca baktı ve sonra büyükanneye dönüp bir şeyler söyledi. Büyükanne çocuğun dünyasının farkında bile değildi; o yürümeye devam etmek istiyordu.

Büyükler bilen insanlar, küçükler ise öğrenen. Çocukların dünyayı keşfetmesine ilgi duyan ve onlara bu fırsatı veren bir ortam, çocuklar için en sağlıklı gelişim ortamıdır.

Yargılamadan, Ötekileştirmeden Olduğu Gibi Kabul Edilecek Bir Küçük İnsan

Çocuk hakları, insan haklarıdır.

Kucağınızda tuttuğunuz çocuk, muhteşem potansiyele sahip bir bireydir. Ve bu küçük insan doğumundan itibaren altı saat içinde iki sorunun cevabını hisleriyle, sezgileriyle izlemeye başlar.

- Olduğum gibi kabul edilip seviliyor muyum?
- Güvende miyim?

Bebek sizin beklentilerinizden farklı doğmuş olabilir. Doğup büyüdüğüm kasabada, kız çocuğu doğuran eşlerine küsen erkekleri hatırlıyorum. Böyle bir tavrı besleyen cehalet toplumumuzda şimdi hangi yörelerde ne kadar geçerli bilmiyorum, ama bildiğim şu ki, bebek bu tavrı hisseder ve etkilenir.

Dil bilmeyen bir yavrunun kabul edilip edilmediğini, güvende olup olmadığını nereden bileceğini, nasıl anlayacağını sorgulayabilirsiniz. Bu konuda, son yirmi yıldır çok sayıda araştırma göstermektedir ki, yeni doğmuş çocuk, sesinin tonundan, tınısından, onu kucaklayışından annesinin babasının duygularını hisseder.

Gönlünde seven ile sadece dilinde seven arasındaki farkı bebek "bilir." Nasıl bildiğini bilmez, ama sezgileriyle bilir; böyle bir yetenekle doğar. Onu aldatmanız mümkün değildir. Meme emerken annesinin gözünün içine bakar. Onu emziren annenin gözünde sevgi, şefkat, huzur mu, yoksa gerginlik, kaygı, öfke mi olduğunu çocuk hisseder. Ona baktığınız zaman, istenene mi yoksa istenmeyene mi bakıyorsunuz, çocuk anlar.

Esmer, siyah saçlı, siyah gözlü çocuğunuza nasıl baktığınızı, çevredeki renkli gözlü, beyaz tenli, sarışın çocuklar hakkında hangi ses tonuyla konuştuğunuzu çocuk hisseder. Ve hissediş tarzına göre ya kendini olduğu gibi kabul edilmiş ya da ötekileştirilmiş biri olarak görür. Kendini olduğu gibi kabul edilmiş hisseden bebek güler yüzlü, huzurlu, umutlu ve mutlu biri olarak gelişmeye doğru yol almaya başlar.

Değerli, Evrende Eşi Benzeri Yok, Yeri Doldurulamaz Biri

Kucağınızdaki o küçük insana baktığınız zaman kimi görüyorsunuz? Her gün doğan binlerce çocuktan birini mi? Yoksa sizin hayatınızdaki yerini başka hiç kimsenin dolduramayacağı eşi benzeri olmayan birini mi?

Ona bakışınızdan, onunla konuşurken, sesinizin tonundan, onunla ilişki kurarken haliniz ve tavrınızdan çocuk ya kendini tek, özel, yeri doldurulamaz biri olarak hisseder, ya da onlar, binler, yüz binlerden biri olarak.

Anne-baba olarak iki şeyin farkında olmanız önemlidir:

1. Çocuğunuzu gerçekten değerli görüyor musunuz.
2. Değerli gördüğünüzü ona hissettiriyor musunuz?

Aile içinde kendine değer verildiğini sezen çocuklar bedensel ve ruhsal olarak gelişmeye başlar. Aile içinde kendini değerli hissetmemiş olan çocuklar, anne-baba olduğunda, çocuklarına değer verdiklerini göstermekten içten içe korkarlar. Çocuğun şımarıp kendi başına buyruk, söz dinlemeyen biri olmasından korkarlar. "Yüz verme, şımarır!" sözü onlar için en temel terbiye ilkesidir.

Gerçek şu ki, her bir insan evrende tek ve emsalsiz olsa da, bir insanın değeri diğer insanlarla ilişkileri içinde oluşur ve gelişir. Elin beş parmağı gibi... Orta parmak daha uzun olabilir, ama daha değerli değildir. Diğerleri olmadan orta parmak kendi başına önemli bir değer taşımaz. Elin parmaklarının her biri kendine özgü bir değer taşır ve birlikte muhteşem bir ekip oluştururlar. Her bir parmak, bu muhteşem ekibin bir üyesi olarak eşsiz ve değerlidir.

Çocuğunuza, "Sen orta parmaksın, diğerlerinden daha uzun boylu, diğerlerinden daha değerlisin!" der, bu şekilde değer verirseniz, çocuk bencil, kendini beğenmiş biri olarak yetişir. Ama çocuğunuzda, "İster serçe parmak, ister başparmak, ister orta parmak ol, ekibin vazgeçilmez bir parçasısın, senin yerin doldurulmaz" duygusunu yaratırsanız, çocuk hem kendini değerli hisseder hem de "biz bilinci" içinde, yaşamın bir ekip işi olduğunu anlamış biri olarak yetişir. Böyle yetiştirilen insanlar birbirleriyle ilişkilerinde güvenli ve kibar, yaşama bakışlarında umutlu ve şükür dolu olurlar.

Varoluşuna, Potansiyeline Güvenilecek Biri

Kucağınızda baktığınız bebeğin doğuştan sahip olduğu potansiyele ulaşacağına inanıyor musunuz? Sanırım en temel güven meselesi bu oluyor. "Benim çocuğum potansiyel olarak donanmış; bu donanımı kullanarak gelişebilir," diyebiliyor musunuz? Bu konuda çocuğunuza güveniyorsanız, çocuğunuz çok şanslı demektir. Bu temel güvene sahipseniz, çocuğunuzun:

- Yaşamı denerken hatalarından ders alıp öğreneceğine güvenirsiniz,
- Zaman içinde doğruyu yanlıştan ayırabileceğine ve olabileceğinin en iyisi olmak için doğru seçimler yapacağına güvenirsiniz,
- Zaman içinde gönlünün muradını keşfedeceğine güvenirsiniz,
- Gönlünün muradına uygun vizyon oluşturup, hedefler seçip, stratejiler ve yöntemler geliştirerek bu hedefleri gerçekleştirmek için akıllı ve verimli çabalar içinde olacağına, kendini, ilişkilerini, zamanını yönetebileceğine güvenirsiniz.

Özet olarak kendi yaşamında kendi olarak var olma gücüne ve cesaretine sahip olabileceğine ve yaşamla her zaman, her yerde dans edebileceğine güvenirsiniz.

Evet, kucağınızda tuttuğunuz bu muhteşem potansiyele güveniyor musunuz? Güvenilen çocuk, güvenen ve güvenilen yetişkin olur; huzurludur, güler yüzlüdür; umut dolu ve mutludur. Çocuğunuza verebileceğiniz en anlamlı hediye, onun doğuştan getirdiği potansiyele güvenmenizdir.

Zaman Ayırıp Emek Vermeye ve Sevilmeye Değer Biri

Kucağınızda tuttuğunuz, gözlerine baktığınız çocuğunuz, sevilmeye layık mı? Şu dört soruyu nasıl yanıtlıyorsunuz?

1. Çocuğuma ilgim var mı? Sevgi ilgiyle başlar. Çocuğuma gösterdiğim ilgi ona değer veren, onu özel gören birinin ilgisi mi, yoksa mecburiyetten kaynaklanan birinin ilgisi mi? Aradaki farkı çocuk hisseder.

2. Çocuğumun potansiyeline ulaşmasına yardımcı olacak bilgim var mı? Bu konuda bilgi edinmeyi umursuyor muyum?

3. Çocuğumun benden bağımsız bir birey olarak gelişmesine saygım var mı? Yoksa onu, malım gibi mi görüyorum.

4. Çocuğumun gelişmesi için emek ve zaman vermeye istekli miyim?

Çocuğunu gerçekten seven anne-baba çocuğunun olabileceğinin en iyisi olmasıyla ilgilenir; o amaçla bilgi peşinde koşar, kitap okur, seminerlere katılır; çocuğuna her gün her hafta düzenli zaman ayırır ve emek verir. Ve bunu severek, şükür duygusu içinde yapar.

Çocuğun doğumdan itibaren en çok ihtiyaç duyduğu şey sevildiğini hissetmesidir. Bu gelişigüzel söylenmiş bir laf değil, yıllar süren araştırmaların ardından varılmış bir sonuçtur. Son otuz yıl içinde hem hayvan hem de insan yavruları üzerinde yapılan gözlemler sevginin, yeni doğanın hayatında vazgeçilmez olduğunu göstermiştir. Yıllar önce yaşanan bir vakada, yetimhaneye bırakılan bebekler arasından, doğumundan sonra ilk üç ay içinde ihmal edilen, kucaklanmayan, dokunulmayan, konuşulmayan ölüm oranının yüksek olduğu gözlenmiştir. Anne-baba ilgisi gören bebekler, en pis ve en kötü şartlar altında bile hayatta kalmayı başarırken, en temiz, en donanımlı şartlar altında yaşayan ama dokunulmayan, sevilmeyen yetimlerin böyle bir şansı olmamaktadır. İnsanın sadece bedenden ibaret olmadığı, onun bir de "can" olduğu açık seçik ortada. "Can"ın gıdası sevgidir.

Çocuk, annesinin, babasının, bakıcısının kucağında, sesinde, bakışında, dokunuşunda sevildiğini hissettiği zaman beynindeki özel bölgeler bunu algılamakta ve gelişim salgıları üretmektedir. Böylece sevilen çocuk hem bedenen hem de zihinsel olarak sağlıklı bir gelişim sürecine girmektedir. Sevildiğini hissetmeyen çocukta ise beyin gelişimi daha yavaş seyretmektir.

Sue Gerhard, sevginin çocuk gelişimindeki etkisi üzerine, iki binli yıllara kadar yapılmış tüm araştırmaları gözden geçirerek yazdığı kitabında[1] şunu soruyor: "Sevgi, annenin, babanın günlük işlerinden fırsat bulup ara sıra çocuklarına göstermesi gereken lüks bir duygu ve davranış mı, yoksa bebeğin sağlıklı bir insan olarak büyümesi için elzem olan ruhsal bir gıda mı?" Daha sonra kitabının başında şöyle bir sonucu okurlarıyla paylaşıyor:

"Son yirmi yıldır çocuk gelişimi ve sinirbilim (neuroscience) alanında çalışmalar, çocuğun gelişiminde sevginin vazgeçilmez bir ihtiyaç olduğunu açık seçik göstermiştir. Dokunuş, göz göze bakış, gülümseme, konuşma, kucaklama, okşama, sarılma, öpme çocuğun gelişiminde yeri doldurulamayacak sevgi ifadeleridir. Çocukluğunda doya doya sevilmiş, anne-baba sevgisine doymuş çocuk sakin, bilinçli, huzurlu, güler yüzlü, güvenen ve haline şükreden bir yetişkin oluyor."

Psikiyatra ve psikoterapiste değişik ruhsal sıkıntılarla başvuran insanların yaşam öyküleri incelendiğinde çocukluk zamanında yaşadıkları sevgi açlığı ortaya çıkmaktadır.

Evet, kucağınızda tuttuğunuz o küçük insanı ilgilenmeye, onun hakkında bilgi edinmeye, ona emek ve zaman vermeye layık görüyor musunuz? Bu sorunun cevabını zihniniz değil, kalbiniz bilir.

Hem Ait, Hem Özgür: Bu Çocuk Kimin?

Evet, kucağınızda tuttuğunuz çocukla ilgili sormanızı istediğim bir soru da bu: "Bu çocuk kimin?"

Bu, sizin için tuhaf bir soru olabilir, ama bu kitap için tuhaf değil; aksine, önemli ve "anlamlı" bir soru.

Küçük Vedat on iki aylıkken yürümeye başlar. Anne-baba o yürümeye başlarken elinden tutmaya kalktıklarında, o da yeni yürümeye başlamış diğer çocuklar gibi, elini tutturmak istemez. Elini serbest bıraktıklarında, yeni yürüyenlerin kendine özgü o özel sendeleyişiyle gayet mutlu şekilde coşkulu adımlar atmaya başlar. Vedat mutludur, annesi-babası, herkes mutludur.

Şimdi şunu düşünün: Birlikte gidilen bir piknikte, Vedat coşkuyla adımlar atarken, anne-baba hemen bir ağacın arkasına saklansalar, Vedat geri dönüp baktığında anne ve babayı göremese ne olur? Her çocuğun tepkisi ufak farklılıklar gösterse de sonuç genellikle şu olur: Çocuk yürümekten vazgeçer. Sağına soluna bakınır, anasını, babasını arar; onları göremezse ağlar. Davranışlarıyla Vedat'ın verdiği mesaj açık seçik şudur: "Elimden tutmayın, ama orada durun bana bakın! Ben hem bağımsız, hem ait olmak istiyorum."

Hepimiz hem özgür, hem de ait olmak isteriz. İlişkilerde ait olmak ve birey olmak arasındaki denge yaşamın en temel olgularından biridir. İnsanoğlunun her ikisine de ihtiyacı vardır; hem ailesine, mahallesine, ibadethanesine, okuluna, futbol kulübüne, siyasi partisine ait olmak, hem de bir birey olarak özgürce var olmak ister. Ve anne-baba olarak bunun dengesini ayarlamak, çocuk gelişiminin en temel boyutlarından biridir.

Hamilelik döneminde çocuk tamamıyla anneye ait bir varlıktır; anne onun için yer, içer, nefes alır. Annenin yaptığı, yapmadığı her şey çocuğu etkiler. Doğduktan hemen sonra bebek artık kendisi nefes almaya başlar. Anne onu emzirir, besler. Bir süre sonra anne, ya da bakıcı, onu süt şişesi ve mamayla beslemeye başlar. Ve bir gün bebek ağzına uzatılan mama kaşığını tutup kendi yemek ister. Bebeğin mamayı döke saça yemesine izin verecek misiniz? Verirseniz ona güvenmiş, sen yapabilirsin, senin isteklerini ciddiye alıyorum ve yapabileceğine inanıyorum mesajı vermiş olursunuz. Buna karşın, bebek ağzına uzatılan mama kaşığını tutup kendi yemek istediğinde, onun elini iter, kendiniz yedirmek için ısrar eder, çocuğu zorlarsanız ona güvenmemiş, sen yapamazsın, senin isteklerini ciddiye almıyorum ve yapabileceğine inanmıyorum mesajlarını vermiş olursunuz.

Ait olma ve birey olma arasındaki bu dans bebeklikten itibaren her yaşta devam eder. Çocuğunuzun suyunu kendisinin içmesine, ayakkabısını kendisinin bağlamasına izin veriyor musunuz; düştüğü zaman hemen koşup yakalayıp ayağa kaldırıyor musunuz, yoksa kendisinin ayağa kalkmasına fırsat veriyor musunuz? Daha da ileriki yaşlarında arkadaşlarıyla arasında sorunlar çıktığı zaman hemen karışıyor musunuz, yoksa onların kendi arasında sorunlarını çözmelerine fırsat tanıyor musunuz? Okula başladığı zaman ev ödevlerini tamamlaması kimin sorumluluğu; anne-babasının mı, çocuğun mu? İleride kariyer seçimi, eş seçimi konularında sorumluluk esas itibariyle çocukta mı, yoksa anne ve babasında mı olacak?

Evet, kucağınızda şimdi göz göze bakıştığınız bu çocuk kimin? Bu sorunun yanıtını Halil Cibran ne kadar güçlü bir şekilde ifade etmiş:

Çocuklarınız sizin çocuklarınız değildir.
Onlar Hayat'ın kendine duyduğu özlemin oğulları ve kızlarıdır.
Onlar sizinle gelirler, ama sizden değil,
Ve onlar sizinle birlikte olsalar bile, yine de size ait değildirler.

Onlara sevginizi verebilirsiniz, düşüncelerinizi değil;
Çünkü kendi düşünceleri vardır onların.
Onların bedenlerine bir ev sunabilirsiniz, ruhlarına değil;
Çünkü onların ruhları, sizin düşte bile ziyaret edemeyeceğiniz o geleceğin evinde yaşarlar.
Onlara benzemeye çaba gösterebilirsiniz, ama onları kendinize benzetmeye kalkmayın.
Çünkü hayat geriye gitmez ve dünle de hiç oyalanmaz.
Siz yaysınız, çocuklarınız da bu yaylardan fırlatılan canlı oklar.
Okçu sonsuza giden yoldaki hedefi görür ve oklarının hızlı ve uzağa gitmesi için tüm gücüyle gerer sizi.
Onun elinde gerilmeniz sevinç nedeni olsun size;
Çünkü o fırlatılan oku sevdiği gibi, elindeki sağlam yayı da sever. [2]

HALİL CİBRAN

Niyetim Ne?
Çocuğumdan Beklentilerimin Farkında mıyım?

Birinci bölümde ele aldığımız, "Kucağımızdaki bu küçük insan özünde nasıl biri?" sorusuna verdiğimiz cevapları hatırlayalım:

- Uğrunda gözünüzü kırpmadan hayatınızı tehlikeye atacağınız kadar önemli, muhteşem bir insan potansiyeli,
- Hiçbir eksiği yok; onu olduğu gibi kabul ediyorsunuz;
- Çok değerli, evrende bir eşi benzeri daha yok,
- Kendi hayat deneyimlerinden öğrenip gelişebileceğine güveniyorsunuz,
- Sevilmeye, zaman ve emek vermeye layık,
- Hem aileye, topluma ve yaşama ait hem de bir birey olarak özgür.

Anne-baba olarak çocuğumuzun bu altı boyutunu keşfetmemiz ve onun yaşamına bu boyutlarda tanıklık etmemiz, çocukla sağlıklı bir ilişki geliştirmek açısından önemlidir. Bu tanıklık boyutları insan ilişkilerinin duygusal dokusunun temelini oluşturduğu için, okurların da affına sığınarak, onları kitap boyunca sık sık tekrar edeceğim.

Çocuğunuzla İlgili Niyetiniz Nedir?

Çocuğunuz kızsa onu kız, oğlansa oğlan çocuğu olarak yetiştirin. Ama en önemlisi, insan yetiştirdiğinizi hiç unutmayın.

İkinci bölümde, çocuğun bu muhteşem potansiyeliyle ilgili sizin niyetinizi ele alacağız.

Bile bile çocuğunun kötülüğünü isteyen bir anne ya da babaya rastlamadım. Birçok ebeveyn çocuklarının kendilerinden daha iyi yaşamasını ister, bunu sağlayabilmek için ellerinden geleni yapar; bu çaba onların kendilerini iyi hissetmelerini ve kendileriyle gurur duymalarını sağlar.

Evet, kötü niyetli anne-baba görmedim. Tüm anne-babalar, iyi niyetle çocuklarının geleceğiyle ilgili planlar yapar. Ancak, iyi niyet her zaman yeterli olmamaktadır. Çağımızın önemli psikologlarından Abraham Maslow, "Anne-babalar çocuklarıyla ilgili planlar yaparak ve umutlar taşıyarak onlara görünmez deli gömlekleri giydirirler," diyor. Bu söz, "Cehenneme giden yol, iyi niyet taşlarıyla döşelidir" sözünü hatırlatıyor.

Anne-babalar, çocukları için gerçekten ne istediklerini sorgulamalıdırlar: *Benim çocuğum nasıl bir insan olsun?*

Her annenin babanın kafasında çocuklarıyla ilgili beklentiler vardır.

Annenin beklentisi ile babanın beklentisi uyuşuyor mu? Uyuşuyorsa, bu beklentiyi nasıl gerçekleştirecekler? Uyuşmuyorsa, bunun farkındalar mı? Farkındalar ise aralarında konuşabiliyorlar mı?

İdeal koşullarda bu konu eşler arasında evlenmeden önce konuşulmalı ve açıklığa kavuşturulmalıdır. Ama, bırakın evlenmeden önceyi, çocuk doğmadan önce bile böyle bir konuyu kaç çift düşünüp konuşmuştur? Çocuk büyürken eşler arasında oluşan sorunların bir kısmı, "çocuğum nasıl bir insan olsun" sorusuna verilen farklı yanıtlardan kaynaklanır. Liberal görüşlü bir anne ve muhafazakâr görüşlü bir babadan oluşan bir ailede büyüyen kız çocuğu, "İyi ki annem, babamdan farklı düşünüyordu; ben annem sayesinde özgür kişiliğime kavuştum," diyebilir. Hak veriyorum.

"Özgür düşünen biri neden muhafazakâr biriyle evlenir?" sorusu akla geliyor. Yaşamın doğal dinamikleri içinde bu oluyor; bazen bilmeden, bazen bilerek. Çocuk doğunca, eşler çocuk yetiştirme konusunda farklı düşündüklerini görebilirler. O zaman aralarında olgun kişiler gibi konuşabilecekler mi? "Evet, aralarında olgun iki yetişkin olarak konuşuyorlar," diyorsanız, o aile sağlıklı bir çocuk yetiştirme ortamı oluşturuyordur. "Hayır," diyorsanız, ortam sağlıksızdır. Çocuk bu durumdan mutlaka olumsuz etkilenir.

Varsayalım ki, *"Çocuğum nasıl bir insan olsun?"* sorusuna anne ve baba aynı cevabı vermiş olsun. Bu defa karşımıza yöntem sorusu çıkar: *"Çocuğumu nasıl yetiştireyim?"* Anne-baba *nasıl* konusunda farklı fikirlere sahip olabilir; böyle bir aile ortamında çocuk çelişkiler yaşayacaktır. Anne-baba olarak çocuğunuzun kişiliğini biçimlendirirken aranızdaki bu yöntem farklılıklarıyla nasıl başa çıkacaksınız?

Eşinizle ilişkileriniz iyiyse bu farklılıklarla başa çıkarken muhteşem bir gelişme ve öğrenme olanağı bulursunuz. Çocuklarımızın bize verdiği en büyük yaşam hediyelerinden biri de bizi eğitip geliştirmeleridir.

Çocuklara yönelik tutarlı bir beklenti ve yöntem oluşturmak kadar, bu beklentinin ne olmasına karar vermek de önemlidir. Anne-babanın soracağı temel soru şudur: Çocuğumu kalıplamak mı istiyorum, geliştirmek mi? Çocuğunuz, çevresindeki insanlardan hiçbir farkı olmayan biri olarak da yetişebilir, kendi bireyselliğini keşfetmiş biri olarak da. Birçok anne-baba, "Tabii ki kendi bireyselliğini keşfetmiş birini yetiştirmek istiyorum," derse de içten içe böyle bir çocuktan korkar. Çocuğunun bir birey olarak gelişmesinden anne-baba neden korkar? Çünkü kişiliğini kazanmış birini yönetmek zordur. Ne var ki, bir insanın kendi yaşamında kendi olarak var olması bastırılamaz. Bu konuda çocukla inatlaşmak onun gelişmesine yardımcı olmaz; ne anne-baba için, ne de çocuk için iyi sonuç verir.

Yine de çoğu anne-baba farkına varmadan bu yolu seçer. Bunun iki nedeni vardır: 1) Kendileri de çok muhtemelen, geleneksel kültürün egemen olduğu kalıplayıcı bir aile ortamında yetişmiştir; 2) Uysal çocuğa anne-babalık yapmak kolaydır.

Peki, bu geleneksel anlayışa göre, söz dinleyen uysal bir çocuk nasıl yetiştirilir? Tabii gözünü korkutarak, yaptığından utandırarak. "Kızını dövmeyen, dizini döver!", "Dayak, cennetten çıkmadır!" gibi sözler, korku kültüründen kaynaklanır.

Ailedeki bu tavır, okulda eğitim ve işyerinde yönetim anlayışında da boy gösterir. Çocuğunu dayakla terbiye eden bir toplumda demokratik hayatın oluşması olanaksızdır. Dayak, azar ve utandırma korku-kaygı kültürünün terbiye anlayışıdır. Bu tür yöntemlerin bilimsel anlamda eğitici niteliği yoktur. Çocukken dövülen, azarlanan ve utandırılan çocukların büyüyünce asık suratlı, bıkkın, kaygılı ve öfkeli yetişkinler olacağından şüpheniz olmasın.

Saygı ve güven kültürünün egemen olduğu ailelerde ise çocuk daha küçükken insan yerine konur ve onun kendi bireyselliğini keşfetmesi istenir. Anne-baba çocuklarıyla etkileşimlerinin onun gelişmesine ne kadar katkıda bulunduğunu sorgular: "Bu sözüm ve davranışım, çocuğumun olgun bir yetişkin olmasına yardım mı ediyor, yoksa engelliyor mu?"

Anne-babanın ortak hedefi çocuğu yaşama hazırlamak; onun yetişkinliğinde güçlü, başarılı, şevkli ve anlamlı bir yaşama sahip olmasına olanak sağlamaktır. Bu hedefi benimsemiş anne-baba şunu bilir: Çocuğun karşılaştığı zorluklar onun için en iyi öğrenme fırsatıdır. Bu süre içinde anne-babanın tek yapması gereken, duruma müdahale etmek yerine çocukla sohbet içinde kalmak ve onun kendi başına bir çözüm geliştirmesini desteklemektir.

Bütün bu yazdıklarımı ben baba olduğumda biliyor muydum?

Hayır! Benim hayat hikâyemi anlatan, Canan Dila'nın kaleme aldığı *Damdan Düşen Psikolog* adlı kitabı okumuşsanız, baba olmak konusunda çektiğim zorlukları, acıları bilirsiniz. Bütün bu deneyimlerin sonunda şimdi yine baba olma fırsatını ele geçirsem çok farklı bir tavır içinde olurdum. Öyle bir baba olmak isterdim ki, çocuğum çocukluk macerasını doya doya yaşasın, oyuna doysun. Merak ettiğini takip etsin, denesin; dışarıda korkuyu kaygıyı tatsın, yuvasında güveni ve sevgiyi bulsun. Onun çocukluğunu gönlünce yaşamasını önemseyen babasıyla tüm deneyimlerini paylaşsın; anlatsın, anlatsın ve anlatsın. Gözlerimde bir gülümsemeyle dinleyeyim ve onunla hiç kesilmeyen bir sohbete başlayalım.

Ve bu sohbet içinde okuluna başlasın; notlar, ev ödevleri, sınıfta davranış sorunları konuşulsun. O sohbetlere arkadaşlıklarındaki sorunlar, çocukluk aşkları da karışsın; onları da konuşalım. Çocuğum o sohbet içinde yaşamın bir ekip işi olduğunu görmeye başlasın. Sadece "ben" diyen insanın uzun süre güçlü ve mutlu olamayacağını, güçlü ve mutlu bir insan olmanın sırrının elin en uzun parmağı olmakta değil, elin parmaklarından biri olduğunu keşfetmekte yattığını fark etsin.

Demek oluyor ki, çocuğun çocukluğunu yaşamasına izin vermek demek, onun kimseyi dikkate almadan her istediğini yapması ya da her istediğini elde etmesi anlamına gelmiyor. Çocuğun ciddiye aldığı, güvendiği ve önemsediği güçlü aile büyüklerinin olması onun sağlıklı yetişmesi için gereklidir. Ailede yaşayan ve aile büyükleri tarafından aktarılan değerler çocuğa iç disiplin kazandırır. İç disiplini olan insan, ömür boyu gelişir. Bu disiplin aile büyükleriyle sohbet içinde inşa edilir ve sürdürülür. Böylece çocuk gerçek yaşama hazır olgun bir yetişkin insan haline gelir. Değerler temelinde gelişen iç disiplin çocuğun çocukluğunu yaşamasına engel değildir.

ABD'de yapılan bir çalışmada anne-babalara şu soru soruluyor: "Çocuğunuzun büyüdüğünü nasıl anlarsınız?"

Verilen cevaplar şu dört başlık altında toplanıyor:

1. Davranışlarının sonuçlarından sorumluluk aldığında,
2. Anne ve babasıyla yetişkin tavrı içinde sohbet edebildiğinde,
3. Kendi parasını yönetebilecek bilgi ve becerilere sahip olduğunda,
4. Hayatına yön verecek inanç ve değerlere başkasının etkisi altında kalmadan kendisi karar verdiğinde.

Nasıl, sizin de aklınıza yatıyor mu? Bana anlamlı geliyor. Tabii hemen akla şu soru geliyor: "Bu nitelikleri çocuğuma nasıl kazandıracağım?"

Yanıtı basit: Önce anne-baba olarak kendiniz bu nitelikleri kazanın ve çocuklarınıza rol model olun. Örneğin, siz zengin ve güzel bir dil konuşursanız, çocuğunuz da zengin ve güzel bir dil konuşur.

Akla Gelen Sorular Sorular ve Yine Sorular

Çocuğunuzun geleceğini düşünüp, hayal ettiğinizde aklınıza neler geliyor? Nasıl bir eğitim alıyor? Hangi okullara gidiyor? Hangi mesleği seçiyor? Ekonomik durumu nasıl? Bir yerde mi çalışıyor yoksa kendi işini mi kuruyor? Nerede yaşıyor? Evleniyor mu? Evliliğinde mutlu mu? Kaç çocuğu var? Nasıl bir anne veya baba oluyor?

Başka türden sorular da var: Çocuğunuz nasıl bir karakter geliştirdi? Sorumluluk sahibi bir insan mı? Sadece işinde değil, içinde yaşadığı toplumun geleceğinden de sorumluluk alıyor mu? Bedensel ve ruhsal sağlığına önem veriyor mu? Saygılı ve verimli bir ekip arkadaşı olabiliyor mu? Anlamlı, coşkulu ve güçlü bir yaşamı olmasını önemsiyor mu? Kendi inşa ettiği bir dünya görüşü, büyük resmi ve bu büyük resmi ayakta tutacak inanç ve değerleri var mı?

Unutmayalım, sadece bir çocuk yetiştirmiyorsunuz, aynı zamanda içinde yaşadığınız topluma bir yurttaş yetiştiriyorsunuz. Anne-baba, ailede bir yurttaş yetiştiğinin ne kadar farkında? Peki ya toplum, ailede yurttaş yetişiyor olmasını önemsiyor mu? Toplumda, iyi bir yurttaşın özellikleri üstünde uzlaşmaya varılmış mı?

Bu sorulardan ailenin ne kadar önemli bir iş yüklendiğini anlıyoruz. Ailenin sorumlulukları başka hiçbir kuruma devredilemez. Aile toplumsal varlığın hücresidir; sağlıklı aileler toplum için sağlıklı bir geleceğin teminatıdır.

Kendi Gözünde Saygın İnsanın Özellikleri

Kendi yaşamından sorumluluk alan biri yapmış olduğu seçimlerin altında yatan değerleri özümsemiştir. Onun için önemli olan, başkasının gözüne girmek değil, kendi gözünde saygısını kaybetmemektir.

Başkasının yönlendirmesi ve denetimiyle davranmayıp, kendi kendini yöneten insanın özellikleri şunlardır:

1. Gönlünün muradını keşfetmiştir.
2. Diğerlerinin danışmanlığından yararlanmak ister, ama sonunda kendisi karar verir ve verdiği karardan sorumluluk alır.
3. İnançları, arzuları ve eylemleri birbiriyle tutarlı bir bütünlük içindedir.
4. İnsanları davranışlarından sorumlu tutar ama kendi işlediği hataların suçunu onlara atmaz.
5. Başkalarının yaptıkları hataları ona yüklemesine izin vermez.
6. Başkalarının eleştirilerini dinler, ama bu eleştirileri son hakikat olarak hemen kabul etmez.
7. Kendini korur, kollar ve aynı zamanda gerekirse başkalarına da yardıma hazır olur.

Bu özellikleri, çocuğun kendisi yaşayarak geliştirmelidir. Onları çocuğa zorla ya da nasihatle vermeye kalkarsanız, çabaladıkça yapmak istediğiniz şeyden daha da uzaklaşırsınız. Çocuğun bu özellikleri edinmesi için, onun kendi içinde gelişmesine özgürlük tanınması gerekir. Bu da ailede sevgi ve güven ortamı oluşturmakla, çocuğun özgürce seçimler yapmasıyla ve bu seçimlerin sonuçlarını yaşayıp, içine sindirerek öğrenmesiyle oluşur.

Yaşamla Dans Eden Biri Olmak

Bana sorarsanız, anne ve baba için doğru hedef şu olmalıdır: Çocuğum öyle biri olsun ki, her türlü koşulda kendi ayakları üzerinde durabilsin, "iyi" olanı, "doğru" davranışla hayata uygulayabilsin; yaşamın her türlü müziğinde doğru ve etkili dansı yapabilecek bilgi ve becerisi olsun.

Böyle biri içten güdümlüdür, gönlünün muradını keşfetmiştir, kendi kararlarını verip eyleme dökebilir ve eylemlerinin sonuçlarından sorumluluk alır. Bu insan "evet"ini ve "hayır"ını keşfetmiştir. Böyle birinin yetişmesi için anne-babanın yapması gereken, çocuğun deneyim kazanmasına ortam hazırlamaktır.

Toplumsal ve Kültürel Alışkanlıklar

Değerli okurum, burada lütfen kendinize sessiz, uygun bir ortam bulun; bir kâğıt kalem alın ve aşağıdaki uygulamayı, çok düşünmeden süratle yapın.

Aklınızdan 1 ile 9 arasında bir sayı tutun.

Şimdi bu sayıyı 9'la çarpın.

Çıkan sayının birinci ve ikinci basamaklarındaki rakamları toplayın.

Sonuç sayı ne oldu? Bunun ilk harfiyle bir ülke düşünün.

Şimdi o ülkenin sondan üçüncü harfiyle bir şehir ismi düşünün.

Şimdi de o şehrin baştan ikinci harfiyle bir hayvan ismi düşünün.

Eğer uygulamayı sakin bir ortamda süratle yapmışsanız şu sonuçlara ulaşacaksınız:

Sonuç sayı: 9
Ülke: Danimarka
Şehir: Rize
Hayvan: İnek

Seminer ve konferanslarımda bu uygulamayı verip, katılımcıların cevaplarına bakmadan sonuçları "DANİMARKA-RİZE-İNEK" olarak ilan ettiğimde salonda şaşkınlıktan kaynaklanan bir uğultu oluşuyor. Katılımcılar iki şeye hayret ediyorlar: Bir, nasıl oldu da onların aklından geçeni bildim ve iki, nasıl oldu da büyük bir çoğunluk onlar gibi düşündü. Peki neden böyle oluyor?

İlk başta yaptırdığım matematik işleminde, hangi sayıyı tutmuş olursanız olun 9 ile çarpma ve bölme kurallarının zorunlu sonucu olarak 9 sayısına ulaşırsınız. Bu durumda uygulamaya "D" harfiyle başlamanız kaçınılmaz. Bu aşamadan sonra, kültürel alışkanlıklar devreye giriyor. Bir kültürde belirli bir ortamda en sık kullanılan kelime, o ortam yeniden ortaya çıkınca ("D"yle başlayan bir ülke) hemen akla geliveren olur. Türkiye'de büyürken "D'yle başlayan ülke" olarak Danimarka'yı daha sık duyduk; dolayısıyla böyle bir soru karşısında aklımıza diğer seçeneklerden Dominik Cumhuriyeti, Demokratik Kongo Cumhuriyeti gelmiyor. Şehir ismine gelince, Roma kenti de "R"yle başlıyor, ama Türkiye'de yaşayan ve Türkçe konuşan herkes Rize'yi, Roma'dan daha sık duyuyor. Aynı şekilde, "İ" harfiyle başlayan bir hayvan düşünülünce de ilk akla gelen "inek" oluyor.

Aynı bilgisayara yüklenen programlar gibi, toplumsal ve kültürel yaşantılar da doğumdan itibaren çocuklara arka planda yüklenmeye başlar ve bu işlem ömür boyu devam eder. Yukarıdaki uygulamada da, Türkiye'de büyümüş olmaktan kaynaklanan doğal çağrışımlar herkesi ortak bir sonuca yönlendirmektedir.

Bir yetişkinin algılama, düşünme ve karar verme anlarında bu kültürel çağrışımların farkında olması önemlidir. Annebaba, çocuklarını yetiştirirken acaba bu çağrışımların etkisinde mi kalıyor? Düşünmeden, Danimarka-Rize-İnek türünden yerleşmiş kültürel kalıplar kullanarak mı çocuklarını terbiye ediyor?

Niyet Sizin mi, Yoksa Kültür Şablonunun mu?

İnsanın gözünü, gönlünü, aklını açan
inançlar olduğu gibi kapayan, körleştiren
inançlar da vardır. Taşıdığı inancın türünü
keşfetmek bilgeliktir.

Çocuğunuzla ilgili niyetiniz, beklentileriniz üzerine hiç düşünüp, bunları eşinizle paylaştınız mı? Anne-baba olarak aynı beklentiler içinde misiniz? Çocukla ilgili olarak niyetinizde saflığa ulaştınız mı? Siz çocuğunuzu yetiştirmek için mi varsınız, yoksa çocuğunuz size hizmet etmek için mi doğdu?

"Çocukla ilgili niyette saflığa ulaşmak" ifadesi bazı okurların tuhafına gidebilir. Ama bugün ben şu satırları yazarken, bu keşfin, anne-baba için atılacak en önemli adımlardan biri olduğuna inanıyorum.

Aslında, geçen bölümde sizlerle düşüncelerini paylaştığım Halil Cibran anne-baba için yol haritasını çizmişti. Bu çocuk ne için doğdu; annenin, babanın, büyükanne ya da büyükbabanın hayalleri doğrultusunda bir meslek edinmek, sosyal ortama girmek, şirket kurmak, sahnede alkışlanmak, gazete manşetlerinde görünmek, bir spor dalında şampiyon olmak için mi? Bu çocuk sizin için bir sosyal sigorta mı? İleride sizin ekonomik, sosyal ve sağlık yönünden sırtınızı dayayacağınız bir güven kaynağı mı? Yoksa sizin hayatınıza anlam verecek biri olmak için mi dünyaya geldi?

Bütün bu niyetlerin hiçbirinin saflığı yok. Anne-baba olarak çocukla ilgili niyetiniz gerçekten çocukla ilgili olmalı, sizinle ilgili değil.

Bir anne-babanın çocuğuyla ilgili niyetlerinde saflığa ulaşması kolay değildir. Bunu başarabilmek için önce kendi yaşamlarındaki niyette saflığı keşfetmeleri gerekir. Ve bugün geldiğim nokta odur ki, bir insanın yaşamının anlamı ve gücü onun niyetinin saflığındadır.

Niyetinde saflığa ulaşmış bir anne-baba, bir insanın anavatanının onun çocukluğu olduğunu bilir. "Çocuğumun çocukluğunu doya doya yaşaması ve olabileceği en iyi insan olarak gelişmesi için elimden gelenin en iyisini yapacağım," der.

Unutulmaması gereken bir şey daha var; sadece kişiliğin değil, yurttaşlığın da temeli aile ortamında atılır. Okul aileden gelen kökleri besler; bir temel varsa onun üstüne inşa eder.

Bu ülkedeki anneler ve babalar bir araya gelseler ve aralarında konuşsalar, acaba iyi bir yurttaşın sahip olması gereken asgari müşterekler üzerinde anlaşabilirler mi? Hangi duygu, düşünce, inanç ve değerler "bireye özgü" hangi duygu, düşünce, inanç ve değerler "bize özgü" olmalı?

Umarım sorduğum sorunun ne kadar önemli olduğunun farkındasınız. Toplumsal barışımız, bunları sorabilmemize ve birlikte bir karara varabilmemize bağlıdır.

Ölçeğin bir ucunda bütün bireylerin aynı duyguları, düşünceleri, inanç ve değerleri paylaştığı bir toplum beklentisi vardır. Böyle bir beklenti insan doğasına aykırıdır, gerçekçi değildir. Benim ya da çocuğumun duygu, düşünce, inanç ve değerlerini niye başkaları belirlesin? Bu konuda, diğer anne-babalarla bu konuda niye anlaşmak zorunda kalayım? Böyle bir toplum yaratmaya çalışmak boşunadır ve sağlıksızdır. Totaliter yönetimler eğitim ve devlet mekanizmasıyla böyle bir toplum yaratmayı amaçlamışlar, ama tarih boyunca sürdürülebilir bir başarı elde edememişlerdir.

Ölçeğin diğer ucunda her bir bireyin kendi başına buyruk olduğu, ailenin, eğitimin, toplumsal yaşam ve düzenin hiçbir anlam ifade etmediği anarşik bir toplum yer alır. Duyguları, düşünceleri, inanç ve değerleri birbirine hiç benzemeyen insanlardan oluşan bir toplum da insan doğasına aykırı, gerçekçi değildir. Böyle bir toplum asgari müştereklerini bulmadan hayatta kalamaz.

Üzerinde anlaşmamız gereken, bireysel ve toplumsal beklentilerin asgari müşterekte buluştuğu "bir arada yaşamamızın kuralları". Zaten hukuk tam da bunun için var. Ne var ki, her hukuk düzeni, belirli bir değerler sistemini kapsayan bir anayasa üstüne kurulur. Anayasamızın temel değerleri neler? Anayasamızın temelini oluşturan temel değerler üstüne anlaşabiliyor muyuz? Bu temel değerler evrensel insan haklarıyla uyumlu mu? Çin ve Kanada toplumlarının her ikisi de hukuk düzeni içinde işlese de, her iki toplumun vatandaşlarının özgürlüklerinden ne anladığı farklı olabilir. Anayasal hukuk devleti olmamızdan ne anlıyoruz? Bu toplumun bir yurttaşı olarak duyguma, düşünceme, inanç ve değerlerime saygı duyuluyor mu, yoksa baskı altına alınıp karışılıyor mu? Benim özelim, benim mahremim dediğim ve diğerlerinin saygı duyduğu bir alanım var mı?

* * *

Yaşam Yolculuğu İçin İki Kanat

Çözümün bir parçası değilsen,
sorunun bir parçası mıyım,
diye sormak gerekir!

İnsanın toplumsal ve bireysel varoluşu onun iki kanadıdır. Bu kanatların oluşması çocuklukta başlar ve ergenlik çağında devam eder. Bilinçli anne-baba her iki kanadı da güçlendirmeye önem verir.

Ailesine, mahallesine, kentine, mesleğine, içinde yaşadığı topluma ait olması, çocuğun toplumsal kanadıdır. Toplumsal kanat dışarıdan gözlenebilen bir varoluş alanıdır; insanın konuşması, giyimi kuşamı, davranışları ve kimliğiyle açığa çıkar. Dışarıdan gözlenemeyen bireysel kanat ise çocuğun kendi gözünde, kendi özünde hissettiği bir varoluş alanıdır. İşte orada birey kendi özüne aittir; birey orada bir can olarak, bir bilinç olarak, ruhsal olarak vardır. Kitap boyunca "bireyin özünde var olması" dediğim zaman bu ruhsal varoluşa işaret etmiş olacağım.

Bireyin toplumsal ve kendi özünde varoluşunun dengelenmesi önemlidir. Bu iki varoluş biçimi de birbirleriyle sürekli bir çekişme halindedir. Bazı yörelerde aidiyetin baskın olduğu bir anlayış vardır ve çocuk hayatının anlamını ve gerçek kimliğini, ait olmakta arar. Bireyin kendi özünde ruhsal varoluşu pek önemsenmez. Böyle toplumlarda anneler-babalar çocuklarının geleceğiyle ilgili beklentilerini "ait olma" (aileye, yöreye, ülkeye hayırlı evlat olması) üzerine kurarlar. Burada bir dengesizlik olduğunun farkında bile değildirler. Oysa, bireyin ait olduğu topluma bir değer katabilmesi için, önce kendisinin bir artı değer kazanması gerekir. Toplumların gelişimi, bireylerinin kendi özünde gelişmeleriyle gerçekleşir. Anne ve babaların çocuklarıyla ilgili şöyle demeleri daha sağlıklı olacaktır: "Benim çocuğum bir birey olarak kendine özgü gelişsin, olabileceğinin en iyisi olsun; kendisi gelişmiş bir birey olarak aileye, yöreye, ülkeye hayırlı evlat olsun."

Geleneksel toplumlarda "ait olma" baskındır, "birey olma" istenmez ve önemsenmez. Ne var ki, birey olması kösteklenip engellenen insanlarda zamanla "benim gücüm yok, ben yapamam" duygusu gelişir. Öğrenilmiş çaresizlik olarak da isimlendirilen bu tutum kişinin kendi etki alanında yapabileceği şeyleri yapmamasına ve sorunların çözümünü hep başkalarından beklemesine yol açar.

Öğrenilmiş çaresizliğin güçlü olduğu toplumlarda, örneğin herkes kumsalın ne kadar pis olduğuyla ilgili konuşur ama eline poşet alıp, çöpleri toplamak kimsenin aklına gelmez. Bir keresinde iki arkadaş elimize büyük torbalar alıp kumsalda yürümeye ve çöpleri toplamaya başladık. Yarım saat sonra beş yüz metrelik sahil tertemiz olmuştu. Ama tüm hafta ikimizden başka kimse kolları sıvayıp ekibe katılmadı.

Ait olmanın baskın olduğu geleneksel toplumlarda bilim, felsefe, sanat ve teknolojide gelişmeler ya hiç yoktur ya da yavaştır. Bu toplumlarda yeni düşünce, yöntem ve yaklaşımlar pek hoş görülmez ve "başımıza yeni icat çıkarma" diyerek bastırılır. Ailelerde, okullarda ve genel olarak toplumda herkes gibi düşünen, herkes gibi konuşan, herkes gibi giyinen ve davranan insanlar makbuldür. Ve böylece hem eksileri hem de artılarıyla bir toplumsal yaşam ortaya çıkar. Eksisi, biraz önce söylediğim gibi öğrenilmiş çaresizliğin yüksek olması ve felsefe, bilim, teknoloji ve sanatta çok az gelişme yaşanmasıdır. Artısı ise kişilerin birbirlerinden sorumluluğunun yüksek oluşudur; evsiz, barksız, kimsesiz, sokakta sahipsiz insanlarla ilgilenilir. Aile büyükleri yaşlanınca yaşlılar evine bırakılmaz, her aile kendi yaşlısına saygı duyar ve ona ömrünün sonuna kadar sahip çıkar, bakar. Elden ayaktan düşmüş yaşlı bir aile büyüğüne bakmamak utanılacak bir şey olarak görülür.

Avrupa ve Kuzey Amerika toplumlarında olduğu gibi bazı toplumların kültürlerinde birey olma baskındır. Böyle toplumlar, ailede, okulda ve iş hayatında birey olmaya önem veren, farklı düşünen insanları daha makbul görür. Ailede anne-baba, çocuğunun kendilerinden ve diğer kardeşlerinden farklı düşünmesini, kimsenin sormadığı soruları sormasını ister.

Vernon Benjamin Mountcastle, 1918'de doğmuş ve hayatını nörobilim dalının gelişimine adayarak 2015'te 96 yaşında ölmüş, alanında tanınmış bir Amerikalı bilim insanıdır. Bir çok bilimsel ödüllerinin arasında Amerika Birleşik Devletleri'nin en prestijli bilimsel ödülü olan NAS Award in the Neurosciences ödülünü 1998'de kazanmıştır. John Hopkins Üniversitesi'nde bir öğrencisi Vernon'a, "Amerika'da üç binin üzerinde nörobilim profesörü var, neden onlardan biri değil de siz aldınız bu ödülü?" diye sorduğunda, "Araştırmalarımı öncü buldukları için bu ödülü verdiler," cevabını veriyor. "Sizin araştırmalarınız niçin öncü?" sorusuna da gülerek, "Annem nedeniyle!" diyor ve anlatıyor: "Okuldan döndüğümde arkadaşlarımın anneleri, 'öğretmenin anlattıklarını öğrendin mi' diye sorarken, benim annem, 'Vernon, bugün öğretmene iyi bir soru sordun mu?' derdi. Ben soru sormanın önemli olduğunu ve sürekli soru sormam gerektiğini annemden öğrendim."

Bazı toplumlar, çocuğun mevcut bilgiyi anlasın ya da anlamasın ezberlemesine ve sorulduğunda eksiksiz tekrar etmesine önem veriyor ve buna eğitim diyor. Böylece malumat yüklü ama düşünce yoksunu insanlara "eğitimli" gözüyle bakılıyor. Ama bazı toplumlar soru sorana üst düzeyde ödül veriyor. Ben kendim böyle bir deneyim yaşadım: ABD'de doktora öğrencisi iken benimle dört-beş kez öğle yemeğinde buluşan bir İngiliz arkadaşımın sonraları öğle yemeğinde hep başkalarıyla buluşmayı tercih etmesini sorguladığım zaman, "Doğan, sen ve ben çok benzer düşünüyoruz; o nedenle seninle buluşmuyorum!" demesine hayret etmiş ve hiç anlayamamıştım. Bir başka arkadaşım da doktora öğrencilerinin araştırma konusu bulabilmek için kendilerinden farklı düşünen ve fikirlerini eleştiren kişilerle beraber olmak istediklerini anlatmıştı. Benim gibi düşünenleri dost kabul eden ve benden farklı düşünenleri ötekileştiren bir gelenekten geldiğim için bu yaklaşımı anlayamamış, uzun süre kendimi dışlanmış hissetmiştim. Daha sonra bu yaklaşımın üniversite kültürünün özünü oluşturduğunu keşfettim ve düşünce hayatının, bilimin, sanatın ve teknolojinin gelişiminde farklı soru sormanın ne kadar önemli olduğunu keşfettim. Bu kavrayıştan sonra sosyal hayatta edindiğim dostlar ile düşünsel hayatta edindiğim dostların çok farklı olabileceklerini kabul ettim.

Gelişmiş toplumların kültürlerinde birey olma baskındır, ait olma pek o kadar önemsenmemiştir; insanlar birinin oğlu, kızı, torunu ya da yeğeni olarak bilinmeyi pek istemez. Bu toplumların bilim, felsefe, sanat ve teknolojide gelişmeleri hızlıdır. Bu toplumlarda yeni düşünce, yöntem ve yaklaşımlar, "Şimdi başımıza yeni icat çıkarma!" denilerek bastırılmaz; aksine ödüller verilerek teşvik edilir. Ailelerde, okullarda ve genel olarak toplumda herkes gibi düşünen, herkes gibi konuşan, herkes gibi giyinen ve davranan insanlar makbul değildir ve ailelerden çocuklarını farklı farklı bireyler olarak yetiştirmeleri beklenir. Bu toplumlarda insanın değeri, kiminle nasıl bir ilişki içinde olduğuna bakılarak belirlenmez.

Ve böylece hem eksileri hem de artılarıyla başka bir toplumsal yaşam ortaya çıkar. Artısı, biraz önce söylediğim gibi felsefe, bilim, teknoloji ve sanatta, yaratıcılığı yüksek bir toplum oluşturmasıdır. Eksisi ise, böyle toplumlarda kişilerin birbirlerine karşı sorumluluğunun düşük olmasıdır; evsiz, barksız, kimsesiz, sokakta sahipsiz insanlarla ilgilenen pek yoktur. Aile büyükleri yaşlanınca yaşlılar evine bırakılır, aile kendi yaşlısına sahip çıkıp bakmaz. Aile büyüğüne bakmamak utanılacak bir şey değildir. Kendi bireysel dünyasında yalnız kalan insanlar, yakın arkadaş ve dost yokluğunu psikoterapist ve psikologlarıyla gidermeye çalışır.

Sağlıklı bir yaşamın temeli, kişinin hem toplumda hem de özünde dengeli bir şekilde var olmasıdır. Yaşam, doğası gereği bir ekip işidir. Bunun, farkında olarak hem diğerlerinin hem de kendinin varoluşuna saygı gösteren insanlar demokratik bir toplumun temelini oluştururlar.

Çocuğum Başarılı Olsun

Cahillik kötüdür;
sevgi cahilliği en kötüsü
UMAY DİVİ

Her anne-baba bir yandan çocuğunun başarılı olmasını isterken diğer yandan da onun başarılı olamaması kaygısını taşır. Çocuğunuzu ve onu büyütme sürecinizi düşününce sizin baskın duygunuz ne? Başarının heyecanı mı, başarısızlığın kaygısı mı?

Bir yolculuğa çıkarken yolculuğun kendisinin verdiği heyecanla ve mutlaka iyi bir yere varacağınız umuduyla dolu olabilirsiniz. İşte bu, sevgi ve güven ortamının bakış tarzıdır.

Ya da yolculuğu yapamayacağınızdan veya varacağınız yerin istediğiniz yer olmayacağından kaygılanıyor olabilirsiniz. Bu da kaygı ve korku ortamının bakış tarzıdır. Siz hangi bakış içindesiniz?

Öncelikle açıklığa kavuşturmamız gereken boyut çocuğumuzu ne kadar koruyacağımızdır. Her ana baba çocuğunu koruyup kollamak ister ve her çocuk anne-babasına güvenmek, emniyette olmak ister. Anne-baba, çocuğu koruyucu bir tavırdan, onun dünyaya açılmasına izin verecek bir tavıra nasıl geçecek? Bu geçiş sürecinde çocuğu nerede, ne zaman, ne kadar koruyacak ve ne kadar özgür bırakacak? Göz göre göre hata yapmasına, canının yanmasına nasıl izin verecek?

Birçok anne-baba, çocuklarına duydukları sevgi adına, onlarla dış dünya arasına kendilerini koyarlar ve böylece kendileri hayatta olduğu sürece dış dünyanın çocuklarına zarar vermesini önlemeye çalışırlar. Burada hassas dengeler vardır; küçük bir çocuk dış dünyadan hiç korunmazsa, kendini korumaya gücü yetmediği için gerçekten de zarar görür. Ancak çocuk büyürken dış dünyadan fazla korunursa; hata yapmasına, yaşam deneyimi kazanmasına, sınırlar ve sorumluluk bilinci geliştirmesine izin verilmezse, bu sefer de yetişkin hayatına hazırlanıp olgunlaşması engellenmiş olur. Siz bu konuda neredesiniz, hiç düşündünüz mü?

Açıklığa kavuşturmanız gereken ikinci boyut, başarıdan ne anladığımızdır. Size göre başarı çocuğunuzun okul derecesi ya da diploması mı, seçtiği mesleğin türü mü, evlenip bir yuva kurması mı veya bütün bunları kapsayan anlamlı, coşkulu ve güçlü bir yaşamı olması mı?

Bazı üniversiteler ve bazı meslekler toplumun gözünde diğerlerinden daha saygındır ve anne-babalar doğal olarak çocuklarının o üniversite ve bölümlere gitmesini isterler. Bu itibar sıralaması dönem dönem değişse de, her zaman vardır. İki yıl yanlarında okuduğum rahmetli ağabeyim benim tıp fakültesine gitmemi istemişti ve ben hiç rağbet görmediği için sınavsız öğrenci alan psikolojiye gittiğimde hayal kırıklığına uğramıştı. Yüksek puan ile öğrenci alan üniversite ve bölümlere kabul edilen öğrenciler girdikleri bu yeni ortama uyma konusunda stresli dönemler yaşarlar. Türkiye'de bu konuda yapılan araştırmalara henüz ulaşamadım, ama ABD'de Harvard, Stanford, Yale, UCLA, MIT ve Princeton gibi itibarlı üniversitelerdeki öğrencilerin çoğunda stres kaynaklı depresyon vakalarının arttığı gözlenmiştir. Ne var ki, öğrencilerin depresyona girmesi ve intihar vakalarının artması aşikâr bir şekilde ortada olduğu halde, Amerikalı anne ve babalar çocuklarının bu okullara gitmesini istemeye ve desteklemeye devam etmektedirler. [3]

Görüldüğü gibi, "Çocuğum için iyi olan ne?" sorusunun cevabını, farklı bir birey-toplum dengesine sahip ABD'li anne babalar da, bizim ülkemizdeki anne babalardan pek farklı vermemektedir. Çocuğun stres, gerginlik ve depresyonu pek önemsenmemekte, onun zihinsel ve ruhsal sağlığı pahasına, itibarlı bir üniversite ve bölümden alacağı diploma üzerinde odaklanılmaktadır. Öyle anlaşılıyor ki, gelecek kaygısı, anne babaları körleştirmektedir. Gelecek kaygısının kaynağı üzerinde düşünüp, bu kaygının gerçekliğini araştırmak bu kitabın okurları için önemli bir adım olacaktır. Evet, anne-baba olarak kaygınızın kaynağını biliyor musunuz? Var olan bir gerçekten mi kaynaklanıyor, yoksa kafanızda yarattığınız hayali bir gelecekten mi?

Gergin, kaygılı, depresyona giren öğrencilerin özellikleri araştırıldığında ortaya şöyle bir tablo çıkıyor: Bu sorunu en çok yaşayanlar korumacı ve mükemmeliyetçi anne-babalar tarafından yetiştirilen çocuklar. Bu çocuklar belirsizliğe tahammül edemiyorlar, farklılıkları yönetemiyorlar, hep mükemmeliyetçi oldukları için hiçbir şeyi beğenemiyorlar, biraz zorlukla karşılaşınca hemen pes ediyorlar, kendi önceliklerine göre karar veremiyorlar, biraz sabredip zorluk çekerek ulaşabilecekleri hedeflere, o sabrı gösteremedikleri için ulaşamıyorlar. Ve özgüvenlerini kaybederek depresyona giriyorlar.

Sağlıklı, güçlü ve özgüveni yüksek çocuklar yetiştirmek için, onlara büyürken zorluklarla kendi başlarına mücadele etme, hata yapma, başarıyı tatma fırsatı sunmak gerekli görünüyor.

Okul başarısı, meslek başarısı, evlilik ve aile başarısı... yaşam başarısı şemsiyesi altında anlam kazanır. Yaşam başarısı, çift kanatlı olarak hem kendi özünde hem de toplumda var olabilen insanların başarısıdır. Çocuk kendi seçtiği hedefler için daha içten, daha şevkli ve daha çok çalışır. Akıllı anne-baba çocukla sohbet içinde onun bilinçli seçimler yapmasına yardımcı olur, ama çocuğun adına seçimler yapmaz.

Efsane bir basket koçu olan John Wooden'ın başarı tanımını sizlerle paylaşmadan edemedim: "Başarı bir iç huzurudur; bu iç huzuru, yapabileceğinin en iyisini yaparak olabileceğinin en iyisi olduğunu bilmekten kaynaklanır." [4]

ÜÇÜNCÜ BÖLÜM

Anne-Baba Olarak Ben Kimim?

Bir önceki bölümde, çocukla ilişkinizde ve ondan beklentilerinizdeki niyetinizi keşfetmenin önemini irdeledik. Bu sırada cevaplanması gereken pek çok soru da ortaya çıktı. Niyetiniz gerçekten sizin niyetiniz mi, yoksa farkında olmadan bir kültür robotunun niyetini mi taşıyorsunuz? Çocuğunuzu geliştirerek onun bir şahsiyet olmasını mı, yoksa herkes gibi bir kültür robotu olmasını mı istiyorsunuz? Asık suratlılar arasına mı, güler yüzlüler arasına mı katılacak?

Kitabın bu üçüncü bölümünde niyeti gerçekleştirecek kişi olarak sizin kim olduğunuzu irdelemek istiyorum.

Nasıl bir ailesiniz? Çocuk merkezli bir aile misiniz, yoksa eşler arasındaki ilişkinin evliliğin temeli olduğunun ve evliliğin de ailenin temeli olduğunun farkında mısınız?

Nasıl bir aile kültürünüz var; iletişim ve ilişki içinde olduğunuzun farkında mısınız? İnsanın toplumsal yönü ve bireysel yönü ailenizde ifadesini nasıl buluyor?

Aile kültürünüzde kaygı mı, umut mu baskın? Çocukken içinde yetiştiğiniz ailenin sizi nasıl etkilediğinin farkında mısınız? Çocukken hangisi daha baskındı; utandırıldınız mı, umutlandırıldınız mı?

Öğrenmeye açık bir anne-baba mısınız? Sizin için bilen insan olmak mı yoksa öğrenen insan olmak mı önemli? Öğrenen insan olarak çocuklarınızdan öğrenmeye açık mısınız?

İnsan İnsana Bir Evlilik İlişkisi

Bu kitabın konusunu oluşturan aile ortamında hem anne hem de baba var; yani aynı evde birlikte yaşıyorlar. Biliyorum, tek ebeveynli ailelerin sayısı da toplumumuzda hızla çoğalıyor. Tek ebeveynli aile ortamlarında çocukla olan etkileşim konusunu önemsiyorum ve bu durumda olan anne veya babaların karşılaştıkları sorunların toplumca ele alınması ve çözümlere ulaştırılması gerektiğine inanıyorum. Ancak, tek ebeveynli ailelere özgü sorunlara bu kitapta yer veremiyorum; aksi halde kitap tasarladığımdan çok daha yüklü olur ve esas amacını aşar. Ne var ki, tek ebeveynli aileler de bu kitapta anlatılan farkındalıklardan yararlanarak daha etkili bir anne veya baba olabilirler.

Önce evlilik kavramını ele alalım. Evlilik, bir "insan kadın" ile bir "insan erkek"in yaşamı paylaşmak amacıyla bir araya gelmesidir. Bazı geleneklerde evliliğe sadece "kadın" ve "erkek" ilişkisi olarak bakma eğilimi vardır. Böyle bir bakış "insan insana" ilişkiyi geri planda tutar ve bu anlayışla kurulan evliliklerde kadın ve erkeğin her ikisinin de "insan" yönü zaman içinde ihmal edilip yalnızlaşır. İnsan yönü yalnız kalmış insan, ister kadın ister erkek olsun, mutlu olamaz. Evliliğin içi tam dolmamış, bir yönü eksik kalmış olur.

Çocuğun katılmasıyla birlikte, evlilik ilişkisi aile ilişkisine evrilir. Çocuğun içine doğduğu evlilik ilişkisi, onun geleceği açısından belirleyici bir önem taşır

"İnsan kadın-insan erkek evliliği" içine doğan çocuk şanslıdır. Önünde her gün gördüğü sağlıklı, işleyen, yaşayan bir ilişki vardır. Sağlıklı bir evlilik temeli üzerine kurulu bir ailede çocuklar kendilerini güvende ve özgür hissederler; bilirler ki, kendilerinden önce bu evlilik vardı ve kendileri büyüyüp evden uçtuklarında bu evlilik yine mutlu bir şekilde devam edecektir.

Şimdi de sadece "kadın-erkek" ilişkisi olarak bakılan bir evliliğe doğan çocuğu düşünün. Anne, yalnız kalmış "insan" tarafının açlığını çocuğuyla gidermeye yönelecektir. Küçücük çocuk annesinin mutluluğu için vazgeçilmez olduğunu hissetmeye başlar. Bu duygu arttıkça çocuk çocukluğunu özgürce yaşama duygusunu giderek kaybeder. Tanıdığım biri anlatmıştı: "Benim annem yıllarca babamı bana çekiştirdi. Şimdi, 'cahillik işte' deyip geçiyor. Oysa onun babamı hep kötülemesi bana çok zarar verdi." Aynı şey baba çocuk ilişkisi için de geçerlidir. Kocasından/karısından bulamadığı insanca sevgi ve ilgiyi çocuklarında arayan bir annenin/babanın çocukları çocukluklarını özgürce yaşayamazlar.

Evlilikteki "insan-kadın" ile "insan-erkek" ilişkisi, aileye çocuk katılınca "insan-kadın-anne" ile "insan-erkek-baba" ilişkisine dönüşür. Bu ilişkide bir zenginleşme oluşmuş, eşler daha önce "insan insana" ve "kadın-erkek" olarak konuşurken çocuk doğduktan sonra birbirleriyle "anne-baba" olarak da konuşacak hale gelmişlerdir.

Dönem dönem "anne" ve "baba" rolleri diğerlerinden daha baskın olsa da ailenin temeli evlilik ve evliliğin temeli de insan insana bir ilişkidir. Bazı dönemlerde "anne" olmak baskın olur –doğumu takip eden ilk aylar böyle bir dönemdir. Bu dönem babanın babalığını fark etmesi, keşfetmesi, içine sindirmesi ve ailede "baba" olarak yerini alması için önemli bir fırsattır. Kadın, bu dönemin gereklerini yerine getirmeyi öğrenip iyi bir "anne" olmaya çalışırken, erkeğin "kadın-erkek" ilişkisinde ısrarlı olması halinde kadın kendini anlaşılmamış hissedebilir. Diğer yandan, "baba" rolünü önemseyip, çocuğuyla ilişkisinde değerler temelinde bir düzen oluşturmaya çabalayan erkek, bu konuda kaygılı ve gergin iken, annenin baba-çocuk ilişkisine saygısız davranması erkeğin kendini dışlanmış, değersiz hissetmesine yol açabilir.

Çocuğun anne ve babayı evde sağlıklı bir ilişki içinde görmesi önemlidir. Bu, onların kendi ilişkilerine odaklanıp çocukları ihmal etmeleri anlamına gelmez. Önemli olan, ebeveynlerin kendi sağlıklı ilişkileriyle çocuklar için *sevginin özgür olduğu bir ortam* yaratmalarıdır.

Kendi Gerçeğini Olduğu Gibi Gören, Kabul Eden ve Gösteren İnsan Olmak

Evlilikte eşler arasındaki ilişkinin sağlıklı olması önemlidir, dedik. Akla gelen soru şu: İlişkinin sağlıklı olabilmesinin koşulları nelerdir?

Bir insanın bir başkasıyla sağlıklı ilişki kurabilmesi için önce kendiyle sağlıklı bir ilişki içinde olması gerekir. Kendiyle sağlıklı ilişki kurabilen insan kendini gerçekçi olarak değerlendirir, kabul eder ve ilişkilerinde öyle görünmekten kaçınmaz. Gerçekçi kadın ve erkeğin evliliğinde de "mış gibi"lik olmaz; eşler birbirlerine olduklarından farklı görünmeye çalışmazlar.

Bazı yerleşmiş toplumsal kalıplar içinde düşünenler içinse yukarıda yazdıklarım bir anlam ifade etmeyebilir. Onlar için dikkate alınacak bir tek şey vardır: *Güç.* Görünüşü yetişkin ama içi olgunlaşamamış, çocuk kalmış "mış gibi yetişkinler"in dünyasında, kaba güçten başka hiçbir değer tanımayan ve korkan-korkutan ilişkisi üstüne kurulu "korku kültürü" içinde yaşayan birini tanıyorsanız, ne *insan* olmanın, ne *kadın* olmanın, ne de *anne* olmanın onlar için bir önemi olmadığını görmüş ve yaşamışsınızdır. Dediğim gibi onlar için önemli olan "güçlü" olmaktır. Böyle toplumsal kalıp içinde oluşan evliliklerde, "güç kimde" sorusu en önemli sorudur. "Kadının gözünü ilk gece korkutacaksın!" ve "Nikâhta ayağına sen bas; senin dediğin olsun!" sözleriyle başlayan evlilikler, içten içe sürekli bir güç mücadelesini devam ettirirler.

Sağlıklı bir toplum olarak gelişebilmemizin temeli, "insan kadın" ve "insan erkeğin" insan insana konuşabildiği evlilikler ve ailelerdir. Ancak bu, sadece istemekle başarılacak bir konu değildir. Hem kadının hem de erkeğin "insan olma" yolunda bir yolculuk yapması gerekir. Bu yolculuk çocuklukta başlar.

Yüz ve Can

İnsanı yoran hayat değil,
taşıdığı maskelerdir.
SHAKESPEARE

Etkili ve verimli insan ilişkileri için insan doğasını tanımak önemlidir. İnsanın iki temel doğası vardır: 1) Toplumsal insan; 2) Bireysel insan.

Her toplum, insanları belli kıstaslara göre etiketler; *bebek, çocuk, genç kız, delikanlı, yetişkin, orta yaş, ihtiyar* gibi tanımlamalar yaşa göre etiketlenmeye örnektir. Kişiler uğraşılarına göre de etiketlenebilir; *öğrenci, polis, doktor, manav, inşaatçı, emekli* vb. gibi. Etiketlerin kaynağı, sosyal ilişkiler olabilir; bir çocuk doğduğu zaman biri *baba*, öbürü *anne* olur, ailenin büyüklüğüne göre birileri de *abla, ağabey, amca, dayı, hala, teyze, büyükanne, büyükbaba* olabilir. Gördüğünüz gibi küçük bebek doğduğu anda etrafına unvanlar dağıtıyor.

Yörelere göre *Silifkeli, Çorumlu, İzmirli, Adanalı* olarak etiketlenebildiğiniz gibi, ait olduğunuz etnik kültüre göre de *Çerkez, Kürt, Laz* olarak etiketlenebilirsiniz. İnsanları dini inançlarına göre de gruplayabilirsiniz; *Yahudi, Hıristiyan, Müslüman, Budist, Hindu* olabilirsiniz. Tabii sahip olduğunuz pasaporta göre *Türk, Fransız, Amerikan, Alman* olarak da isimlendirilebilirsiniz. "Bu kim?" diye sorduğumuzda genellikle verilen cevaplar bu etiketlerden seçilir. Örneğin biri bana sen kimsin, kendini tanıt dediğinde, "Türk vatandaşıyım, Müslümanım, Silifkeliyim, psikoloğum, yazarım, emekliyim, babayım, dedeyim," diyebilirim. Bu tanıtma sosyal kimliğim içinde olur.

İnsanın bir de, toplum içindekinden farklı olarak kendi özünde, kendi gözünde tanımlaması vardır. Ben kendi gözümde önemsenecek, olduğu gibi kabul edilecek, değer verilecek, güvenilecek, sevilmeye layık bir insan mıyım? Mahrem dünyamda bunu ancak ben bilirim. Bazı insanlar bu konuda duyarlı bir bilinç geliştirmişlerdir; onlar için ilk öncelik toplumun ne dediği değil, kendi özünün ne dediğidir. Bazı insanlarsa kimliklerini sosyal etiketler üzerine kurmuştur ve özleriyle ilgili bir bilinç geliştirememişlerdir. İnsanların gözlerine bakın, bazıları ışıl ışıldır; bazıları donuktur. İnsanların gözlerindeki ışıltı, iç dünyalarında ne kadar var olduklarını yansıtır. Bazı aileler toplumda var olmayı önemser ve çocuklarının gözlerinde ışıltı var mı yok mu, farkında bile olmazlar. Korku, kaygı ve öfke dolu toplumların aile yapısı böyledir.

İnsan iki kanatlıdır; sevgi, güven ve şükür dolu bir yaşam için hem özümüzde hem de toplumda var olmamız gerekir. Toplumsal varoluşa, "yüz" varlığı, birey olarak özde varoluşa, "can" varlığı diyorum.

Aile Kültürünüzün Farkında mısınız?

İletişim ve ilişkiler içinde
birbirimizi var ya da yok ederiz.

Aile kültürümüzü gözden geçirirken; ilk sorgulamak istediğim sizin iletişim bilinciniz. Aile içinde sürekli iletişim içinde olduğunuzun farkında mısınız?

İletişim, iki insan birbirinin farkına vardığı anda başlar. Bunun istisnası yok. Ailede her an iletişim var. Konuşurken neyi nasıl söylediğinizin anlamı olduğu gibi, konuşmazsanız neyi söylemediğiniz ve neden sustuğunuzun da anlamı vardır. İletişimden kaçış yok. Yüz ifadeniz, ses tonunuz, sessizliğinizin süresi, giyinişiniz, el kol hareketleriniz, dokunuş tarzınız ya da hiç dokunmayışınız, ne kadar yakın ya da uzak durduğunuz; hepsinin bir anlamı var. Aile kültürünüzde bu farkındalıklar var mı? Bunları bilmeden sezgilerinizle hareket ederseniz farkına varmadan sorunlar yaratırsınız.

Aile, İlişki ve Tanıklık Ortamıdır

İki insan birbirinin farkına varınca iletişim başlar dedik. Karıkoca, komşular, mahalleli ve bakkal, müdür ve öğretmen, öğretmen ve öğrenci, doktor ve hastası gibi sık sık iletişim içinde olanlar birbirlerinin tanıdığı olmaya başlarlar. Birbirinin tanıdığı olan insanlar arasındaki iletişime *ilişki* deriz. Yakın ve önemli ilişkilerde insanlar birbirine tanıklık ederler. Özellikle evlilik ve aile ortamında söz konusu olan bu tür ilişkilerde, eşler, anne çocuk ve baba çocuk, birbirlerinin en önemli tanığı olurlar. Ve ilişkinin altı tanıklık boyutunu nasıl deneyimledikleri, ilişkilerini sürekli etkiler. İlişkinin sağlıklı ya da sorunlu olmasında bu tanıklık boyutlarının bilinmesi, yaşanması ya da yaşanmaması yatar.

Daha önce, birinci bölümde çocuğun özünde nasıl biri olduğunu keşfederken de kullanmış olduğumuz bu altı tanıklık boyutunu kısaca hatırlayalım:

Önemsenme/umursanma: İlişkide *ne kadar önemseniyorum,* sorusuna cevap verir.

Kabul edilme: İlişkide *ötekileştirilmeden, olduğum gibi kabul ediliyor muyum,* sorusuna cevap verir.

Değer verilme: İlişkide *kendim olarak yeri doldurulamaz biri olarak görülüyor muyum,* sorusuna cevap verir.

Güvenilme: İlişkide *öğrenebilen, yapabilen, güvenilir biri olarak görülüyor muyum,* sorusuna cevap verir.

Sevilmeye değer olma: İlişkide *gelişmem ve mutlu olmam için zaman ve emek vermeye değer miyim,* sorusuna cevap verir.

Hem ilgiye hem saygıya değer olma: İlişkide *ilgi gösterilip, "bizden biri" olarak kabul görürken, bir birey olarak sınırlarıma saygı gösteriliyor mu,* sorusuna cevap verir.

Yeni doğmuş bir bebek doğumundan altı saat sonra ailenin bir tanıklık ortamı olduğunu hissediyor ve sezgileriyle anılar oluşturmaya başlıyor. Anne-baba bu bebek için güçlü tanıklar olduğunun farkındalar mı? Sağlıklı ailelerde eşlerin birbirleri için ve anne-baba olarak çocukları için tanıklık bilinci yüksek ve işlevseldir. Siz anne-baba olarak çocuğunuzun en güçlü tanığı olduğunuzun farkında mısınız?

* * *

Sizin En Güçlü Tanığınız Kim?

İnsanın en güçlü tanığı kendisidir.
Bu gerçeği keşfeden artık yalan söyleyemez.

Çocuklar için en güçlü tanık anne ve babadır. Çocuk okula başlayınca o zaman sınıf ortamında en güçlü tanık öğretmen olmaya başlar. İşyerinde sevdiğiniz, saygı duyduğunuz üstünüz sizin en güçlü tanığınız olur. Kimin gözünde önemli, kabul edilebilir, değerli, güvenilir, sevilmeye layık ve saygıya değer olmak istiyorsunuz? İşte sizin güçlü tanığınız o kişidir.

Bu satırları yazarken fırsat buldukça deniz kıyısında yürüyorum. Temmuz ayının sonlarına geliyoruz ve kumsala gelmiş ailelerin çocukları denize giriyor. Kız çocuğu altı yaşlarında, beline kadar denize girmiş; babası kızıyla beraber suya kadar yürümüş ama kumsalda oturan eşine dönmüş onun söylediği bir şeye cevap yetiştiriyor. Yüzünü tam kızına dönecekken eşi bir şey daha söylüyor, o da cevap vermeye çalışıyor. Kız, "Baba bak," diyor. Baba duyuyor, ama tam dönerken yeniden anneye laf yetiştirmek için dönüyor. Durdum, çaktırmadan izliyorum. Anne durumun zerre kadar farkında değil. Baba ile kızın iletişim içinde olduğunu ya bilmiyor ya da umursamıyor. Nihayet baba kıza döndü ve, "Baba bak!" diye yırtınan kıza, "Ne var?" anlamında, "Hı!" dedi. Kız büyük bir istek ve şevkle suya daldı. O an, anne arkadan yeniden bir şey söyledi ve kız daldığı sudan çıkıp gözleri neşe, gurur ve heyecanla dolu babasına baktığında, babasının ona sırtını dönmüş, annesiyle konuştuğunu gördü. Ağlamaklı bir sesle, "Baba beee!" dedi. Baba, "Tamam, tamam!" diye cevapladı. Kız mahzun, suya bakmaya başladı. Bir süre sonra baba kızına, birlikte yürümeyi teklif etti ama kız gelmeyeceğini söyledi; canı istemiyordu. Kızın mahzun iç dünyasından ne annenin, ne babanın haberi vardı. Ülkemde her gün yüz binlerce defa tekrarlanan ve hiç kimsenin umursamadığı "çocuk kırgınlığı"ndan biri daha gerçekleşmişti.

Siz güçlü tanıklar olduğunuzun farkında olan bir anne, bir baba mısınız? Denizdeki o kız çocuğu için en güçlü tanık o an için babaydı; öyle anlaşılıyor ki, kumsalda oturan ve eşiyle konuşan kadın için de o an en güçlü tanık eşiydi.

Peki, hocam siz olsanız ne yapardınız, diye sorduğunuzu duyar gibiyim. İletişim ve ilişki bilincinde duyarlı biri olarak şöyle davranırdım; kızım "Baba bak," dediği zaman, "Kızım bir dakika bekle. Birazdan ne yaptığına bakacağım ama önce annenin sorusuna cevap vereyim," derdim. Eşim kızımla ilişkimden habersiz, sürekli benimle konuşursa, o zaman, "Bir dakika kızıma bakayım, şimdi geliyorum," derdim. Buna *sağlıklı ilişki için tanıklık yönetimi* adını verebiliriz. Bu yapılırsa, her iki taraf da kendini adam yerine konmuş hisseder.

Sizinle burada bir anımı paylaşmak istiyorum. 2015 yılının Kasım ayının sonlarına doğru Akatlar'daki bir devlet ilkokulunun velilerine İstanbul Akatlar Kültür Merkezi'nde konuşma yapma olanağı buldum. Konuşmama, *Yetişkin Oğluma* adlı şiiri okuyarak başladım. Alice Chase'in yazmış olduğu ve Dr. Abidin Sönmez'in Türkçeye kazandırdığı bu şiirden çok etkilenmiş ve daha önce bir kitabımda yayınlamıştım: İşi yoğun olduğu için oğlu küçükken ona pek zaman ayıramayan ve çocuk büyüyüp evden uçunca anılarıyla baş başa yapayalnız kalan bir anneyi anlatan bir şiirdi. [5]

"Bu şiir size ne ifade ediyor, ne düşündürüyor?" diye sordum. Oradaki bir anneyle aramızda şöyle bir konuşma geçti:

Anne: Çocuklarımı yatırınca diyorum ki, "Siz uyurken ben geliyorum yanınıza ve sizi doya doya öpüyorum." Her akşam yatarken tekrar soruyorlar, "Anne, gece yine gelecek misin?" Bırakıp gidiyor gibi mi düşünüyorlar, nasıl düşünüyorlarsa artık, beni çok etkiledi. Siz şimdi şiiri okurken, direkt o geldi benim aklıma, başka hiçbir şey gelmedi.

DC: Sizin onları öpmenizi önemsemişler, değil mi? Uyuyor olsalar dahi, ne kadar önemli bir şey. Nasıl söylemiştiniz bunu çocuklara?

Anne: Yatırdım onları, "Siz uyurken ben geliyorum yanınıza ve sizi doya doya öpüyorum," dedim. "Gerçekten mi anne?" dediler.

DC: Çocuklarınız kaç yaşında?

Anne: Biri 1. sınıfa gidiyor, 7 yaşında; diğeri de 4 yaşında.

DC: 7 ve 4 yaşında. Dinlediler.

Anne: Her akşam yatarken tekrar soruyorlar, "Anne, gece yine gelip doya doya öpecek misin?" diye.

En güçlü tanık tarafından sevildiğini bilmek, duymak her yaşta bir ihtiyaç.

Bir okurum şöyle yazmış: "Üç çocuk annesiyim. Geçenlerde babama, 'Beni sevdiğini hatta çok sevdiğini biliyorum, ama ben bunu sadece hissetmek değil, senden duymak istiyorum,' dedim."

Çocukluğumuzu hatırlayıp bizim için nelerin önemli, nelerin önemsiz olduğunu bir düşünelim. Aklımızda neler kalmış bir bakalım; alınmayan oyuncaklar, hediyeler mi yoksa söylenmemiş duygular mı?

Şimdiye kadar verdiğim bütün örneklerde birinin bir başkasına yaptığı tanıklıktan söz ettim. Bir de kişinin kendine yaptığı tanıklık vardır.

Bir okurum yazmış, "Çocuk yaşta kucağıma bir çocuk verildi. Annelik sıfatı verildiğinde on altı yaşındaydım. Okuryazarlığı olmayan yoksul bir ailenin tek çocuğuydum. Naylon bebekleri olan kızlara imrenir, her istediklerini yapardım. Sırf o bebeğe dokunup bir kaç dakika oynayabilmek için. Burada fakirliğe öfkeyi, mahcupluğa isyanı öğrendim. Sonra kucağıma verilen bir çocuk, içime dolan bir sevgi, kocaman da bir korku. Bu bebek benim ama bu canlı, ağlıyor. Bense kendiliğinden yetişmiş bir bitki."

Yukarıdakini okuyunca, yazdıklarımın, kaderlerinden başka hiçbir şeyi olmayan kadınlarımıza bir dokunuşu olacağına inanıyorum: "Kendiliğinden yetişmiş bir bitki" bunu yazabiliyorsa, çocuklarına yaptıkları tanıklığın bilincine varmış anne-babaların olduğu ailelerden neler yetişebilir bir düşünün!

Olgun kişi, en güçlü tanığının kendi bilinci olduğunu keşfeden kişidir. Sağlıklı aile ortamında zaman içinde çocuk kendinin en güçlü tanığı olduğunu keşfetmeye başlar. Kendi tanıklığının önemini keşfetmemiş, kendiyle barışık bir ilişki kuramamış olan insanların evliliği ve kurdukları aile sağlıklı olamaz.

O nedenle "ben kimim" sorusu eşler için, esasında annebaba olmadan sorulması gereken önemli bir sorudur.

Ailenizin Büyük Resminin Farkında mısınız?

Sizin ailenizde anlam vermenin temelleri neler? İnsan doğuştan "iyi" olanı bilmek ve "doğru" olanı yaparak adil bir ortam gerçekleştirmek ister. Farklı kültürler, neyin "iyi" ve neyin "doğru" olduğu sorusuna farklı cevaplar verir, ama mutlaka bir cevap arar ve verir. Burada söz konusu olan sizin eş ve anne-baba olarak kendi cevaplarınızı keşfetmenizdir. Ben kabaca iki kültür grubu görüyorum; ilkinde korku, kaygı ve öfke baskın. En temel değer güç ve güçlü olmak. İkincisinde saygı, güven ve şükür duygusu baskın. Bu ikinci kültürde temel değer hakikat ve hakkaniyettir.

Korku, kaygı ve öfke kültüründe "yüz" baskındır. Mevki, makam ile gelen güç kişinin kim olduğunu belirler. Evlilik, güçlü korkutan ile güçsüz korkan ilişkisidir. Aynı şey anne-baba çocuk ilişkisi için de geçerlidir. Böyle bir evlilik ve aile ortamında "iyi" olan güç elde etmektir; "doğru" davranış o gücü artıracak, koruyacak davranıştır ve adil ortam da otoritenin sorgusuz sualsiz sözünün geçtiği bir ortamdır. Bu ortamda "ben bilirim" diyen biri vardır ve çevresinde "evet, efendim, siz bilirsiniz" diyen eş ve çocuklar ister. O otorite ortadan kalkınca, ikinci en korkulacak adam "ben bilirim" demeye başlar.

Saygı-güven kültüründe "can" baskındır. Böyle bir kültürde, kişinin kim olduğunu belirleyen, mevki ve makam ile gelen güç değil, o kişiye yön veren inandığı temel değerlerdir. Bu anlayış içindeki bir evlilik insan insana, ekip anlayışı içinde, aynı değerleri paylaşan, aynı geleceğe baş koymuş insanların ilişkisidir. Böyle bir evlilik ve aile ortamında "iyi" olan sevgi, güven ve destek vermektir; "doğru" davranış sevgi, güven ve desteğin güçlenmesidir. Adil ortam, ben değil biz diyebilen bir ortamdır. Biz ortamında mevki, makam, cinsiyet, yaş ne olursa olsun her insan bir can olarak değerlidir ve yaşamın bir ekip işi olduğu anlaşılmıştır. Ailedeki her bir insanla sevgi ve güven içinde ilişki kurulmalıdır. Bu ortamda "ben bilirim!" diyen değil, sevgi ve güvene önem veren, liyakat sahibi olan bilir. Çevresindeki ekip sevgi ve güvene değer veren, öğrenen ve gelişen bir ekiptir. Bu ortamda zamanla "biz" bilinci oluşur. Sevgi, güven ve şükür duygusunun kaynağı paylaşılan değerlerdir.

Sizin ailenizde iyi olanı, doğru davranışı ve adil ortamı tanımlayan, korku-kaygı kültürü mü, yoksa saygı-güven kültürü mü? "Ben kimim?" sorusunun yanıtını araştırırken lütfen bunun üstünde düşünün.

Kaygı mı, Güven mi?

> *Yapabilirim duygusu, çocuğa*
> *şevk veren en önemli kaynaktır.*
> İHSAN ÖZEN

Güven dolu biri misiniz, kaygı dolu biri mi? Bunu bilmekte fayda var, çünkü kaygı ortamında çocuk sağlıklı gelişemez; kaygılı anne ve baba kaygılı çocuk yetiştirir. Sağlıklı gelişim için güven gereklidir.

Bir konuşmamdan sonra bir anne bana şöyle yazdı:

Bilinçli bir anne olmaya, çocuklarımın sözlerine ve davranışlarına yürekten tanık olmaya çalışıyorum. Onlarla sohbet etmeye, gerçek anlamda "birlikte" olmaya çaba gösteriyorum. Ancak bence bizim neslimiz, belki İstanbul gibi bir şehirde yaşıyor olmak da üstüne eklenince, çok yorgun ve sorumlulukların altında çok ezilmiş bir nesil. Annem kendi dönemlerinde böyle bir yılgınlık hissetmediklerini, bu kadar sabırsız ve öfkeli olmadıklarını, bizi seyrederken bile yorulduğunu söylüyor.

Sonra bu anne bana üç soru yöneltiyor:

1. *Bizim neslimiz bir önceki nesle göre daha mı yorgun?*

2. *Bizim neslimizin anne ve babaları yanlış şeylere odaklanıp, yanlış şeyleri önemsiyor ve gereğinden fazla sorumluluk alıyor olabilir mi?*

3. *Daha kendine tanık bulamayan, kendini gerçekleştirmeye vakit bulamayan, kendi eksiklerini tamamlayamayan, kendisi "tam" olamayan bir anne, bir baba çocuğuna nasıl güçlü bir tanık olabilir?*

Bu sorular sıradan bir insanın gelişigüzel sorulmuş soruları değil. İyi niyetli, eğitim görmüş, meslek sahibi, aile olma sorumluluğunun ne demek olduğunu bilen, iyi bir vatandaş olarak ülkesine ve toplumuna hizmet etmeye çalışan bir annenin soruları. Üzerinde düşünmeye değer.

Kitabın son şeklini vermek üzere çalışırken bir mektup da bir baba adayından geldi. Kendisinin izniyle paylaşıyorum:

Sayın Cüceloğlu,

Otuz yaşında yaklaşık 4,5 ay sonra baba olacak bir baba adayıyım. Bugüne kadar geçen süre içinde baba olacağım düşüncesi üzerinde çok durmadığım için birçok şeyin farkında değildim. Ancak bugün bu düşünce üzerinde ilk adımımı attım ve daha ilk adımımda büyük bir eksik ile yola çıktığımı fark ettim. Bu sanki kutuplara keşfe giden kâşifin yanında soğuktan koruyucu kıyafetlerini almaması gibi bir hisse benziyor: Benim hiç babam olmamış, daha doğrusu olmadı. Sanırım varlığındaki yokluğunu öylesine kabullenmişim ve normalleştirmişim ki hep doğal karşılamışım bu durumu ta ki bugüne kadar. O yüzden dışarıdan bir göz gibi olmamış diyemiyorum artık, olmadı diyorum.

Varlığında yokluğunu yaşatan babam tam 2 yıl önce varlığıyla bu dünyadan göçerek beni yokluğuyla baş başa bıraktı. O zaman dahi bir çocuğun babasını kaybetmesi gibi yaşamadım bu acımı. Herhangi biri öldüğünde ne hissettiysem onu hissettim. Fakat şu an bana örnek bir insan olmadığı için kendi çocuğuma baba olamama korkusundan dolayı büyük bir öfke duyuyorum babama. Uzun uzadıya yazıp sizi yormak istemiyorum. Sizden tek bir ricam var: Bana bir yol gösterin.

Bana bir yol gösterin çünkü daha lise yıllarında okuduğum ancak her sayfasını aklıma kazıdığım İçimizdeki Çocuk kitabını okuyan çocuk şimdi baba olacak. "Nasıl bir baba olacak?", "Nasıl bir baba olmalı?" Hangi yolu izleyeceğini bilmeyen bu çocuğun başta kitap olmak üzere tavsiyelerinize ihtiyacı var.

Bu babaya gönderdiğim cevapta şöyle yazdım: "Bu bilinçte, bu sorumluluk içinde olan biri olarak size bir haberim var: Şahane bir baba olacaksınız! Hayatınızın en anlamlı, en unutulmayacak dönemi başlıyor!"

Öğrenen insan öğrenmekten gelen bir güven içindedir. Güven duyan insan kaygılanmaz; doğru yer ve zamanda doğru davranışı yapacağını bilir.

Güven dolu olmak ne demek? Güven dolu bir anne ve baba çocuğunun muhteşem bir potansiyele sahip olarak doğduğuna inanır. Bu inanç içinde, çocuğun yürümesini öğrendiği gibi, yetişkin insan olup yaşamla dans etmeyi öğreneceğine de güvenir. Çocuğun hata yapmasına ve yaptığı hatalardan öğrenmesine izin verir. Çocuk emekler; kimi uzun süre emekler, kimi kısa süre emekler, ama bir emekleme dönemi vardır. Sonra sendeleye sendeleye, düşe kalka yürümeye başlar. Ve sizin elinizi tutmak istemez; kendisi yürümek ister. Sendeleyerek yürüme döneminde, çocuklarının çok düştüğü için yürümeyi öğrenemeyeceğinden kaygılanan anne-babalara, "Güvenin, bir süre sonra o da diğer çocuklar gibi yürüyecektir, kaygılanmayın!" demek ihtiyacını duyarız.

Evet, siz güvenen mi, kaygılanan mı türdensiniz? Ben güvenen türdenim, diyebiliyorsanız, çocuğunuz şanslı. Güvenildiğini hisseden çocuk, ben yapabilirim duygusu içinde öğrenmeye, gelişmeye ve yaşamla dans etmeye devam edip gidecektir.

Güvenilmeyen çocuk bebekliğinden itibaren annesi ve babasının sesinin tonundan, kendisini tutuşundan, bakışından, yüz ifadesinden bu güvensizlik mesajlarını alacak ve sezgisel olarak içinde, ta derinlerde "ben yetersizim, ben yapamam" kararını verecektir. Öğrenilmiş çaresizliğin temeli budur. Ve bir çocuğa annenin-babanın yapabileceği en büyük kötülük budur.

Muhteşem bir potansiyeli olduğuna, yaşam deneyimlerinden, hatalarından öğrenip gelişebileceğine güvenilen çocuk bebekliğinden itibaren anne ve babasının sesinin tonundan, kendisini tutuşundan, bakışından, yüz ifadesinden bu güven ve umut mesajlarını alacak ve sezgisel olarak içinde, ta derinlerde "ben yeterliyim, ben yapabilirim" kararını verecektir. Özgüvenin temeli budur. Ve bir çocuğa annenin-babanın yapabileceği en büyük iyilik budur.

Siz kendinizi tanıyor musunuz? Kaygı dolu bir tip misiniz, yoksa güven dolu biri mi?

Sık sık tekrar ettiğim gibi insan muhteşem bir öğrenim ve gelişim potansiyeliyle doğar ve doğumundan hemen sonra deneyimlerini sezgileriyle süreçlemeye başlar. Bu bebekle annesi, babası, yakın çevresi nasıl ilişki kurmaktadır? Siz doğduğunuz zaman sizin içine doğduğunuz aile sizinle nasıl ilişki kurdu? Daha açık seçik anlatabilmek için aşırı uçlardan iki örnek vereceğim. Gerçek hayatta böyle iki kutup görmek zor olsa da, eğitim açısından daha etkili olduğu için uç örnekler kullanıyorum.

Çocuğa Güvenilmeyen Ortam

Çocuğun potansiyeline güvenilmeyen ortamlarda büyüyen çocuğa sürekli şu mesajlar gelmektedir: "Sen doğuştan yetersiz doğdun, birilerinin, yani bizim, sana sürekli sahip çıkmamız ve senin için karar almamız ve yapmamız gerek. Sen kendin yapamazsın. Senin potansiyeline saygımız yok, ama senin sahibin biziz ve seni seviyoruz. Kendine güvenme, bize güven! Sen bilmezsin, biz biliriz. Yaptığımız, söylediğimiz her şeyde bir hikmet vardır; sana açıklamayız, çünkü anlayamazsın!"

Böyle ortamlarda yetişen çocuk sınırlarının ve sorumluluklarının bilincine varamaz. Yaşamı ve ilişkilerini yönetebileceğini hissetmez, insanlara ve ilişkilerine güvenemez; bu nedenle kaygı doludur. Kendini yönetmekten aciz tek başına kalmış bir kuzu gibi sığınacak bir anne-baba kucağı, bir çoban arar. Bütün yaşamı, fırtına ve dalgalarla dolu bir denizde sığınacak bir liman aramakla geçer. Bir diğer seçenek tamamen vazgeçmesi, yaşam enerjisini kaybederek pes etmesidir.

Böyle yetişen bir çocuk, kendisi anne-baba olunca güvensizlik duygusunu, kaygılarını ve korkularını olduğu gibi çocuklarına aktarır. Böyle kaygı dolu anne ve babalar çocuklarının davranışları için konu komşuya, çevreye, öğretmene karşı kendilerini sorumlu tutarlar. O nedenle sürekli olarak çocuklarının davranışına yönelik konuşurlar, çocuklarının davranışını terbiye etmeye çalışırlar.

Çocuğa Güvenilen Ortam

Anne-baba çocuğuna inanırsa,
çocuk kendine inanır.
Çocuk kendine inanırsa,
zamanla herkes ona inanır.

Gelelim şimdi öbür kutba; çocuğun potansiyeline güvenilen ortamlarda büyüyen çocuğa sürekli şu mesajlar gelmektedir. "Sen bizim için önemlisin, muhteşem bir potansiyelsin, sende hiçbir eksiklik yok; yeri doldurulamayacak birisin ve teksin. Doğuştan mükemmel ve yetkin bir potansiyel olarak doğdun, aynı yürümeyi öğrendiğin gibi bütün gerekli yaşam becerilerini öğrenirsin. Senin için gözümüzü kırpmadan hayatımızı tehlikeye atabiliriz ama biz senin sahibin değiliz; seni seviyoruz ama senin kendin olmana, sınırlarına saygımız var. Önce kendine güven; ama bil ki senin gelişmen ve mutlu olman için yaşamın boyunca biz senin ekibinde olacağız. Unutma, sen kendi hayatının en önemli tanığı olacaksın. Yaşamının en önemli rehberleri kendi aklın ve kendi vicdanındır. Yaptığın, söylediğin her şeyi aklın ve vicdanınla değerlendirerek iyi olanı seçip doğru olanı yapabilirsin. Sana güveniyoruz."

Böyle bir ortamda yetişen çocuğa sürekli ne yapacağı söylenmez; onunla sohbet içinde kalınır ve bu sohbetin içinde onda yavaş yavaş sınırlar ve sorumluluk bilinci gelişir. Sınırlar bilinci kişinin etki alanının farkında olmasıyla ortaya çıkar. Etki alanının farkında olmak ve etki alanı içinde kalmak olgun insan özelliğidir. Sorumluluk bilinci ise kendinden başka diğerinin de farkında olma ve yaşamın bir ekip işi olduğunu anlama sonucu gelişir. Bu bilinç gelişmezse kişi ben merkezli, bencil bir insan olarak kalır; ömrünü sorunlar ve çatışmalarla geçirir. Sorumluluk bilinci gelişmiş insan "bizi", "ben"den öne koyar. Böyle biri ilişkilerinde sorun yaratmaz, mevcut sorunlara çözüm getirir; kendisi güvenilir bir insandır ve yaşam ekibinde yer alan insanlara güvenir. O nedenle güler yüzlü, şevkli, umutlu ve şükür duygusu içindedir. Yaşam yelkenlisinin kaptanıdır; rüzgârın götürdüğü yöne değil, değer ve inançlarını pusula gibi kullanarak her durumda hedefine doğru yol alır.

Anne-Baba, Çocukla İlişkisinden, Çocuk da Kendi Davranışından Sorumludur

> *Çocuğunuzla şimdiki günleri*
> *ancak bir kere yaşayacağınızın*
> *farkındasınız değil mi?*
> *O, bir daha bu gözlerle*
> *dünyaya bakmayacaktır.*

Kendi tanıklığını keşfetmiş, kendine, ilişkilerine, yaşama güvenen anne-babalar, çocuklarının da güven, umut ve şükür duygusunu yaşamasına uygun ortam yaratır. Güven dolu anne ve babalar, çocuklarının konu komşuya, çevreye, öğretmene yaptığı davranışlarından kendilerini sorumlu tutmazlar. Bilirler ki, çocuğun davranışı anne-babanın doğrudan etki alanı içinde değildir. Davranışının sorumluluğu çocuğa aittir. Bu anne-babalar, çocukla kurdukları ilişkinin kendi etki alanlarında olduğunu bildiklerinden, bu konuda sorumluluk duyar ve önceliklerini buna verirler. Çocuğun davranışını terbiye etmeye çalışmaz; davranışta bulunan çocuğun kendisini terbiye etmeye çalışırlar.

Diyelim çocuk arkadaşlarıyla oynarken saldırgan ve küfürbazdı ve kendisiyle konuşmaya çalışan öğretmenine saygısız davrandı. Bu durumda kaygı yüklü anne-baba çocuğuna, "Bir daha arkadaşlarına küfretmeni, öğretmenine saygısızca konuşmanı istemiyorum!" der. Böylece, "çocuğun davranışıyla" ilgilenir. Güven dolu anne-baba, çocuğuyla sohbet kurar ve çocuğun davranışının temelinde yatanları öğrenir. Çocuk olaya nasıl anlam vermektedir, hangi değerleri yaşamaktadır, öncelikleri nedir ve nasıl eyleme geçmiştir? Bunun üzerine sohbet oluşturur ve çocuğun kendi tanıklığını sürekli olarak diri tutmayı önemser. Hedefi çocuğun davranışı değildir; çocuğun doğru olanın farkına varışıdır.

Kaygı yüklü ebeveynler "denetleyici anne-babalık yapmaya" yönelirler. Onlar için yaşamın "yüz"ü önemlidir; "el alem ne der" ölçütünü kullanarak çocuğun davranışını yönetmeye çalışırlar. Onlar için, doğal olarak dış tanıklık önemlidir.

Güven duygusu içindeki ebeveynler "geliştirici anne-baba olmaya" yönelirler. Onların hedefi çocuğun davranışı değil, "can"ıdır; birinci derecede önemli olan "el alem ne der" değil, çocuğun iç tanıklığı, "ben ne derim"dir. Kendi davranışının sorumluluğunu alarak çocuğuna örnek olan anne-baba, çocuğunun da kendi davranışından sorumluluğunu almasını bekler.

Çocuklar, hayvan terbiye eder gibi eğitilemez. Hayvanlara itaat eğitimi verilir; belirli komutlara hayvan belirli davranışlar yaparak itaat edecektir.

Buna karşın çocuklar, durumlar içinde seçimler yapmayı ve bundan sorumluluk almayı öğrenmelidir. Çocuğunuzun davranışını eğitmeye yöneldiğiniz an yanlış yolda olduğunuzu bilin. Çocukların davranışını yönetmek belki anne-babayı güçlü kılar ama aynı zamanda çocukları da aciz ve güçsüz durumda bırakır.

Bilen Değil, Öğrenen Anne Baba Olmak

Bilen tavrı içindeki kişi, Danimarka-Rize-İnek örneğinde konuştuğumuz kültürel kalıplar içinde anne-babalık yapar ve herkesin de bu kalıplar içinde çocuk yetiştirmesini bekler. Neden? Çünkü o şekilde koşullanmış, anlayışı o şekilde biçimlenmiştir. Şimdiden sonra bu tür kalıplanmış algı ve düşünce sistemini, "kültürel kalıp içinde çocuk yetiştirme" olarak adlandıracağım.

Bu kitabı Gümüldür'de bir koyun sahilinde yazarken, duyduğum çocuk feryatlarından bunalarak yazmaya ara veriyor ve kendime bir not alıyorum:

Bugün 26 Temmuz 2016 Salı; Gümüldür'de kumsaldayım. Sabah yeni kitabım üzerinde çalışmak üzere erken kalktım. Güneş doğduktan sonra uzaktan insan sesleri gelmeye başladı. Şimdi saat sekiz dolaylarında ve her gün, içimi yakan, kendimi çaresiz hissettiren o küçük çocuk sesini yine duymaya başladım: "Anneeee! Anne ne olur, Annneeeee!" Sanki çocuğun eli kapıya sıkışmış, parmağı kopuyor, annesinin kendisini kurtarmasını istiyor. Garip bir şekilde, bu feryada neşeli bir kadın kahkahası karşılık veriyor. Kahkahanın sahibi kadın, çocuğu yüzme öğrensin diye onu zorla suya fırlatan bir anne; benim duyduğum da zavallı çocuğun su içinde kaybolan sesi ve sudan çıkarken ki feryadı.

Bir çocuğun ömür boyu denizle; annesi ve diğer insanlarla olan güvenli ilişkisiyle; yaşamda gerçekte ne kadar güçsüz olduğuyla; ne kadar değersiz, hesaba alınmayacak, kimsenin umurunda olmayacak (empati duyulmayacak) biri olduğuyla ilgili yazgısı şu an yazılıyor. Alanım olduğu için bunu ben biliyorum. Şu anda bu oluyor. Ve bu çocuk, hayatta sadece güçlü olmanın önemli olduğunu bu travmayı yaşarken anlıyor.

Ve anne güçlü olduğu bu anın tadını gülerek çıkarıyor, figan feryat çocuğunu yeniden denize fırlatıyor.

Kıyıda her gün onlarca çocuk sabahtan akşama feryat ederek bu travmayı yaşıyor. Evet, her gün. Gidip o anneyle konuşmayı ve çocuğuna nasıl bir kötülük yaptığını ona anlatmayı deneyebilirim. Ama gerçekten etki alanım içinde mi? Daha önce denedim; konuştuğum üç beş kişi (kadın, erkek hiçbiri beni tanımıyordu) beni hiç hoş karşılamadılar, çenemi kapattım. Acaba ben şimdi oturup kitabımı yazmak için zaman ayırarak mı daha akıllıca davranmış olurum, yoksa işimi gücümü bırakıp sahili gezerek ve bana kızgın kızgın bakan insanları tek tek ikna etmeye çalışarak mı?

Milli Eğitim Bakanlığı ve belediyeler halka açık anne-baba okulu açabilirler. Etki alanları içinde.

Uzaktan duyduğum çocuk feryatları devam ediyor ve ben *Geliştiren Anne-Baba* kitabımı yazmaya devam ediyorum. Kahkahalarla gülen annelere ve babalara kızamıyorum. Niyetleri çocuğa yüzme öğretmek ve çocuklarına aslında kötülük yaptıklarının farkında değiller. Ve şu anda hayatlarında kendilerini güçlü hissettikleri ender bir anın tadını kahkahalar atarak çıkarıyorlar.

Denizde çığlık atan korkan çocuklar sadece o annelerin ve babaların değil; bu çocuklar hepimizin. Onlar bizim çocuklarımız. Ve onların sağlıklı ve mutlu olması için çalışmaktan daha kutsal başka bir hizmet düşünemiyorum.

Kültürel kalıp içinde çocuk yetiştiren anne-baba çocuğa kötülük yaptığını bilmez, bilemez. Çünkü kültürel kalıp içinde çocuğun halinden anlama gibi bir değer yoktur. Korku-kaygı kültürünün tek değeri "güç"tür: Ne kadar güçlüysen o kadar değerlisindir! Bu kişiler çevrelerinden ne görmüşlerse hiç sorgulamadan onu yaparlar. Yukarıdaki örnekte, anne-baba için önemli olan çocuğun duygu ve düşünceleri değil, yüzmeyi öğrenmesidir. Üzerinde durdukları "yüzme davranışıdır". Çocuğun geçirdiği travmanın farkında bile değildirler.

Çocuğun Davranışını Terbiye Etmeye Çalışan Anne-Babalar

Bilen tavrı içinde denetleyici anne-babalık yapanlar için önemli olan çocuğun davranışıdır ve o nedenle çocuğun davranışını terbiye etmeye kalkarlar.

Diyelim çocuk eve gelen misafire "hoş geldiniz" demedi. Davranışı terbiye etmeye önem veren kültürel kalıp içinde çocuk yetiştiren anne-baba, "Niçin misafire hoş geldin demedin," der. Bunu biraz sertçe söyler. Çocuk mahcup mahcup gider, "hoş geldiniz" der. Utandırılmıştır. İleride unutursa, hatırlatılır ve bir de azarlanır. Yine utandırılır. Zamanla çocuk eve misafir gelen herkese "hoş geldiniz" demeyi öğrenir. Çocuk bu davranışı yapmaya terbiye edilmiş olur.

Çocuğun davranışını değil, çocuğun aklını ve duygularını terbiye etmeye önem veren bir başka anne-baba farklı davranır. Diyelim çocuk eve misafir olarak gelen bir büyüğe, "hoş geldiniz" demedi. Çocuğun kendisini terbiye etmeye önem veren anne-baba, misafirlere döner ve "Sizden bir kaç dakika rica edeceğim; oğlumla/kızımla içeride bir şey konuşmam gerekiyor," der ve çocuğunu başka bir odaya götürür. Onun göz hizasına çömelir ve, "Bak yavrum," der, "içeride falan filan amca/teyze var, bize misafir olarak geldi. Biz misafire değer veren bir aileyiz. Sen de bizim çocuğumuzsun. Misafirlerin bizim hayatımıza kattıkları önemlidir. Şimdi içeriye girip misafirlere 'hoş geldiniz' dersen, 'doğru olanı' yapmış olursun. Senden doğru olanı yapmanı bekliyorum. Yapar mısın?"

Çocuk muhtemelen, "Evet," diyecektir.

"Ben istediğim için değil, 'doğru olan' bu olduğu için yapmanı istiyorum. Aradaki farkı anlıyor musun, yavrum?" Çocuk "evet" anlamında kafa sallayınca, "Teşekkür ederim. Şimdi doğru olanı yapabilirsin," der ve birlikte odadan çıkarsınız.

İlkinde çocuğun davranışı, ikincisinde çocuğun kendisi terbiye edilmiş olur. Arada dünyalar kadar fark var.

Kültürel kalıp içinde çocuk yetiştiren anne-baba çocuğuna güzel ve zengin bir dil konuşmayı öğretmeye çalışır. "Doğru düzgün konuş! Tane tane, güzel güzel söyle! Kelimeleri ağzında yutma, hakkını ver," der.

Çocuğun davranışından çok kendisini eğitmeyi hedeflemiş anne-baba ise önce kendi konuşmasına odaklanır; çocuğuna örnek olacak şekilde zengin ve güzel konuşur. Ana dilini güzel konuşan anne-babanın çocuğunun da ana dilini güzel konuşacağını bilir.

Denetleyen Anne-Babalık ya da Geliştiren Anne-Baba Olmak

Çocuğun davranışına yönelen ebeveynler denetleyen anne-babalık yapmaya çalışırlar. Çocuğu yetiştirdikleri kültürel kalıp içinde amaçları onun davranışlarını, yönetmektir. "Çocuğumun davranışını nasıl kontrol edebilirim, çocuğuma istediğim davranışı nasıl yaptırabilirim," kaygısı içindedirler.

Çocuğun kendine, özüne yönelip onun farkındalıklarını konuşan ebeveynler ise geliştiren anne-baba olmaya önem verirler. Geliştiren anne-baba olmayı önemseyenler öncelikle kendi düşünüş, değer ve davranışlarını anlayıp yönetmeye çalışırlar. Onların derdi önce kendilerini eğitmek ve geliştirmektir. Gerçek şudur ki, çocuklarının davranışını değiştirmek anne-babanın gücü dışındadır. Çocuğun davranışını ancak çocuğun kendisi değiştirebilir. Biz anne-baba olarak sadece kendi davranışımızı yönetebiliriz, çünkü bu bizim etki alanımızdadır. Kendi davranışımızla çocuğumuzu etkiyebiliriz, ama onun davranışını yönetemeyiz. Onun davranışını yönetmeye kalktığımız anda çocuğu programlamaya çalışıyoruz demektir ki, o an, çocuk terbiyesiyle hayvan terbiyesi arasındaki fark kaybolur.

Bazı okurlarımın biraz öfkeli bir tavır içinde şöyle dediklerini duyar gibiyim: *"Hocam, siz istediğiniz kadar farkındalık sahibi olun toplum değişiyor, teknoloji evin, ailenin yapısını değiştiriyor; telefon, tv, bilgisayar, tabletler öyle bir dünya açıyor ki, artık aileyi anne-baba değil, çocukların arkadaşları, içinde yaşadıkları çevreleri etkiliyor. Teknolojik değişimin de, toplumsal değişimin de önüne geçmek mümkün değil; o nedenle ben kitap okumayı bıraktım, kafa karıştırmaktan başka hiçbir işe yaramıyor!"*

Anne-babalar çocukla ilişkilerine değil, çocuğun davranışına odaklandıkları zaman böyle öfkeli tepkiler sık sık ortaya çıkar. Böyle düşünen, konuşan anne-babalar çocuğunu denetleyememekten yakınmaktadır. Çocuğun dünyası teknolojinin de yardımıyla giderek artan bir hızda genişledikçe bu anne-babaların kaygıları, gerginlikleri ve panik halleri artar. Yeniden tekrar edelim; siz çocuğunuzu denetlemek için değil, geliştirmek için buradasınız. Onlarla ilişkinizi öyle kuracaksınız ki, onlar kendi davranışlarından sorumluluk almasını öğrenecekler. Telefon, tablet ve televizyon olan bir dünyada, kendi sorumluluklarını keşfetmiş ve anlamış bireyler olarak yaşayacaklar.

Denetleyerek anne-babalık yapanla geliştiren anne-baba olanlar arasındaki en önemli fark, kaygı ve öfke konusunda kendini gösterir. Kültürel kalıp içinde çocuk yetiştiren denetleyici anne-babalar kaygı ve öfke doludur. Çocuğun davranışını kontrol ve yönetme peşinde koşarlar; başarırlarsa çocuğu tamamen sindirip kişiliksiz biri haline getirirler, başaramazlarsa gittikçe daha kaygılı ve öfkeli hale gelirler. Anne-babanın denetleme girişimlerini başarısızlığa uğratan çocuk onları istediği zaman sinirlendirip, kızdırabilir. Zamanla onları parmağının ucunda oynatır; deli eder. Arsızlığıyla güç kazanan çocuk anne-babanın dediğini yapmaz, kızdırır; sonra pazarlık yapar. Dediklerini yapma karşılığında dondurma, bisiklet gibi rüşvetler ister.

Geliştiren anne-baba çocuğun davranışına değil, kendi davranışına odaklanır. "İyi ve doğru olanı" kendisi yaparak, örnek olur, çocuğunun da "iyi"yi seçmesini ve "doğru"yu yapmasını bekler. Sadece çocuğundan değil, kendinden, eşinden, ailedeki büyüklerden, tüm aileden bunu bekler. Burada "iyi" ve "doğru"dan kastedilen şey, aile denen, yaşam denen "ekibin" iyisi ve doğrusudur. Çocuk "iyi"yi seçmediği ve "doğru"yu yapmadığı zaman kendini ekibin dışında, yapayalnız hisseder. Hayat zorlaşır, anlamsız hale gelmeye başlar. Akıl sağlığı yerinde olan küçük ya da büyük hiçbir insan, anlamlı bir hayat seçeneği varken, anlamsız bir hayatı seçmez.

O nedenle geliştiren anne-baba olmaya karar vermiş birinin kendi hayatının anlamını keşfedip kendi doğrularını seçmiş olması gerekir. Hayatının temelindeki doğruları keşfedip seçmek ve onları hayatında yaşatmak kolay iş değildir. Bunu başaramayan insan belki denetleyici anne-babalık yapabilir, ama geliştiren anne-baba olamaz.

Çocukların hayatımıza en önemli katkısı; bizim olabileceğimiz en iyi insan olmaya çabalamamıza ve sonunda olmamıza vesile olmalarıdır. Çocuklarımız bize olgunlaşma fırsatı sunarlar. Bir insanın olabileceğinin en iyisi olma yönünde gelişmesi müthiş haz verici, doyumlu bir süreçtir. Bize bu hediyeyi ancak çocuklarımız verir. Denetleyici anne-babalık yapmakta ısrar eden, bu hazdan mahrum kalır. Geliştiren anne-baba çocuklara daha önceki gözle bakamaz; çocuk büyüdükçe anne-baba da büyür ve gelişir.

Bir okurum yazmış: "Hocam, sadece biz çocuk yetiştirmiyoruz, çocuklarımız da bizi yetiştiriyor. Onların da işi kolay değil!"

Ne kadar doğru! Buradan bir selam gönderiyorum bu değerli okuruma!

Kolay Olanı mı, Anlamlı Olanı mı Seçeceksiniz?

*Korkutularak büyütülen çocuk,
sinsiliği ve kurnazca aldatmayı öğrenir.*

Şimdi şu iki soruya birlikte yanıt arayalım: 1) Hangisi kolaydır?; 2) Hangisi anlamlıdır?

Hangisi kolaydır?
Tabii ki, kültürel kalıp içinde çocuk yetiştirerek denetleyici anne-babalık yapmak kolaydır. Korkulacak, öfkeli bir insan olmak yeter. Hiç emek vermek gerekmez. Bağır, çağır, öfkelen, döverek çocuğu korkut, ez, sindir! Hepsi bu kadar! Başka bir

şey öğrenmene gerek yok; sadece bunlarla korku-kaygı kültürünün anne-babası olabilirsin.

Geliştiren anne-baba olmak ise zordur. Kendi yaşamına yön ve anlam verecek iyi ve doğruları keşfedip içine sindireceksin. Sonra bu değerlerle tutarlı olarak bütünlük içinde yaşayacaksın. Sürekli kendi tanıklığın içinde kendine hesap vereceksin. Evet, bu tavır içinde anne-babalık yapmak zordur.

Hangisi anlamlıdır?

Kültürel kalıp içinde çocuk yetiştirerek davranışı denetleyen anne-babalık yapmak çocuğun kişiliğini bozar; onun olgun ve sağlıklı bir yetişkin olması şansını elinden alır. Asık suratlı, bıkkın, kaygılı ve öfkeli bir insan olmasına yol açar. Geliştiren anne-baba olmak zordur ama ödülü büyüktür.

Nedir ödülü?

Sevginin yaşadığı, canlı, dürüst, bir evlilik ve aile ortamı.

İşte bu ödülün kendisi, çocuk yetiştirirken karşılaştığımız zorlukları sorun olarak değil, bir gelişme fırsatı olarak görmemize ve öğrenmeye daha açık hale gelmemize yol açar.

Bir okurum yorgun anne sendromunu nasıl atlattığını on maddede şöyle anlatmış:

1. Çocuk da yaparım kariyer de demedim, ayağıma gelen kariyer tekliflerini reddedip, işimi çocuğuma daha çok vakit ayıracak seviyede tuttum. *(Ayağına gelen kariyer tekliflerini reddetmek kolay değil. Kişinin hem finansal olanaklarının uygun olması gerekir, hem de öncelikleri üstünde uzun uzun düşünüp tüm yaşamını kapsayacak bir karar vermiş olması. Bu okurum böyle bir olanağı geliştirmiş; herkesin böyle bir durumda olmasını beklemek ya da tavsiye etmek gerçekçi olmaz.)*

2. Ev işlerini, yemeği takıntı haline getirmedim. Tabii ki çocuk düzenli ve temiz bir ortamda sağlıklı olur ama ben sü-

rekli temizlik ve yemek yapan ve bu nedenle çocuğuna vakit ayıramayan gergin anne olmak istemedim. Ev işleri için yardım aldım; eşimle bazı sorumlulukları paylaştık. *(Burada da iki şeyin altını çizmek isterim: a) Önceliklerin farkında olmak, b) Yaşam ekibinde herkesin kendi sorumluluğunu yüklenmesi. Ne mutlu bu okuruma, eşi gerçekten ekipte olmanın sorumluluğu ve bilincini taşıyor ve hakkını veriyor.)*

3. Mükemmel anne olma takıntımı geride bıraktım ve oğluma da mükemmel olmadığımı, ama onu çok sevdiğimi, onu istemeden üzersem duygularını ifade etmesi gerektiğini anlattım.

4. Annemden öğrendiğim gereksiz hijyen takıntısını bıraktım; çamurla da oynadık, yerlere de yattık, bol bol doğaya çıktık. Okuldan üzeri kirli geldiğinde, "Bu gün oldukça eğlenmişe benziyorsun," diye karşıladım.

5. Tüm arkadaşlarım, "Birinci sınıf korkunç yorucu ve gergin geçiyor, her gün evde ödev kavgası ediyoruz," deyince (maalesef eğitim sistemimiz içler acısı) ev almaktan vazgeçip özel okula yazdırdım. *(Burada ekonomik koşulların önemli rol oynadığını kabul etmek gerekiyor; ama dikkatinizi anne ve babanın nelere öncelik verdiklerine yeniden çekmek isterim.)*

6. Evde onun annesiyim, öğretmeni değil. Ders konusunda onunla tartışmadım; ödevlerin onun sorumluluğu olduğunu anlattım.

7. Onu, benim istediğim değil kendi istediği faaliyetlere yönlendirdim; bir müzik aleti ve bir spor dalı ile ilgilenmek onu daha özgüvenli yaptı.

8. Oynadık oynadık oynadık; karanlık korkusunu aşmak için ona oyuncak bir gece görüş gözlüğü aldım ve tüm ışıkları kapatıp hazine avına çıktık.

9. Program takıntısını bıraktım; şu saatte şunu yemeli, şu aya kadar dışarı çıkmamalı vb. "Çocukla seyahate çıkılmaz" tabusunu bıraktım; beş günlükten itibaren dağ bayır gezdik. Onun benim devamım değil ayrı bir kişi olduğunu kabul ettim. Bir gün, "Ben üşüdüm sen de yelek giy," deyince, "Anne, ben sen değilim," dedi. O gün kafama dank etti.

10. En önemlisi ben çocuğumu, onun doğumunu, bakımını, eğitimini ve onunla oynamayı iş olarak görmedim. Onunla geçirdiğim her saniyeyi sevdim, seviyorum...

Bunu yazan bilinçli bir anne ve yaşam yaptıklarının ödülünü ona fazlasıyla vermiş ve veriyor. Bana yazdığı için burada kendisine teşekkür ediyor ve ülkemde bu annelerin sayısının çoğalmasını istiyorum.

Burada sinsi bir tehlikeye dikkatinizi çekmek isterim. İlişki can cana oldukça ve yakınlaştıkça hem ödülü hem acısı artabilir. Bu ihtimal kaygı uyandırır. Kaygının farkına varan ve bu kaygının hayatında olmasını istemeyen biri can cana ilişkiden uzaklaşmaya başlar. Ne var ki, ailede can cana ilişki kurmak kişiye hayatının anlamını keşfetme ve kendini geliştirme fırsatı sunar. Dolayısıyla bu kaygı ile baş etmeyi öğrenmek gerekir. Bu konuda, en büyük gücü sevgiden alırsınız; sevgiden başka hiçbir şey ilişkiyi canlı tutamaz.

Gücünüzün Kaynağı, Niyetinizin Saflığındadır

İkinci bölümde anne-baba olarak niyetiniz üzerinde düşündünüz. Şimdi, "Denetleyen anne-babalık yapmayın, geliştiren anne-baba olun," diyoruz. Gittikçe kaygınız artıyor olabilir. Acaba iyi bir anne-baba olabilecek miyim? Evladım büyüyünce nasıl bir insan olacak? Anne-baba olarak başarılı olabilecek miyim? Bunun gibi pek çok soru aklınıza geliyordur. Uçsuz bucaksız kaygılar okyanusunda kaybolabilirsiniz. Derin bir nefes alın. Yapacağınız şey basit; elinizden gelenin en iyisini yapmaya karar verin. Hepsi o kadar. Kaygıya verecek zaman ve enerjiniz yok.

Hayat,
Yaşanıp deneyimlemek,
Deneyimlerden öğrenip gelişmek,
Öğrendiklerinle elinden gelenin en iyisini coşkuyla, şevkle yapmak,
Yeni yeni deneyimler kazanmak ve
"Elimden gelenin en iyisini yapmaya gayret ediyorum," duygusunu sürdürmek içindir.

Savaşçı[6] kitabımda yazdığım gibi, "Savaşçı önce kendi niyetinin, güdülerinin, isteklerinin farkına vararak işe başlar. Kızılderili bilge Don Juan, 'Savaşçının en büyük gücü, onun niyetinin saflığındadır,' der." Evet, insanın gerçek gücünün kaynağı niyetinin saflığındadır.

Geçmiş-Şimdi-Gelecek:
İki Farklı Kaptanlık Örneği

Şimdiyi yaşamasını bilmeyen,
geleceğini inşa edemez.

Anne-baba, çocukla göz göze bakışıp konuşmaya başladığı zaman iki zaman dilimi önem kazanır: Şimdi ve gelecek. Oysa, kültürel kalıp içinde çocuk yetiştirerek anne-babalık yapan kişi, şimdinin ve geleceğin yerine, farkına varmadan geçmişi getirip koyar.

Annesi babası geçmişte kendisine ne demiş ve nasıl davranmışsa, o da şimdi çocuklarına aynı şeyi söylemekte ve yapmaktadır. Ama bunun farkında bile değildir; şimdi-burada bilinçli bir seçim yapabileceğinin ve yaptığı bu seçime bağlı olarak farklı ve yeni bir gelecek oluşturabileceğinin farkında değildir.

Bir yelkenlinin dümenine oturmuş sıradan birini düşünün; bu kişinin becerebildiği tek şey, tekneyi devirmeden rüzgârın önünde götürmek olsun. Bu kişi, nereye ne zaman varacağından emin olamaz; çünkü rüzgârı yönetmesini bilmez, rüzgâr onu yönetir.

Şimdi iyi yetişmiş, gelişmiş, işinin ehli becerikli bir kaptan düşünün. Bu kaptan önce "niyetini" yani hedefini, varacağı yeri belirler. Bu kaptan rüzgâr nereden eserse essin, kaptanlık bilgi ve becerilerini kullanarak tekneyi belirlediği hedefe yöneltir ve götürür.

Bu ehil kaptan tekne kullanırken dört şeyin farkındadır:

- Geçmişte öğrendikleri vardır: Bu geçmişte kaptanlık bilgi ve becerileri, niyetini keşfetme, hedefini belirleme uğraşıları vardır.

- Şimdi-burası vardır: Rüzgârın, denizin, teknenin ve yelkenin durumunu, varsa teknesindeki yolcuların sayısını, kim olduklarını ve onların ne durumda olduklarını bilir.

- Hedefi vardır: Bu hedefe varmak için rotasını, gideceği yolu bilir.

- Şevki, azmi ve coşkusu vardır: Elinden gelenin en iyisini coşkuyla yapması gerektiğini bilir.

Geliştiren anne-baba işte böyle ehil bir kaptana benzer. Çocuğuyla her etkileşiminde, çocuğuyla ilgili yaptığı her konuşmada hem geçmişinin, hem şimdinin ve hem de nasıl bir gelecek yaratmak istediğinin farkındadır. Paldır küldür konuşmaz, anlık tepkiler vermez. Onun nasıl davranacağını belirleyen şey, etrafta olan olaylar veya çocuğun yaptığı, söylediği şeyler değil, niyeti ve bilgisidir.

Bunu, bir örnek vererek biraz açayım. Dört yaşındaki oğlu parkta arkadaşlarını ısırmaya başlayınca anne çocuğu alıp eve götürüyor.

Soru: Şimdi bu anne çocuğunun davranışından etkilenmiş olmuyor mu?

Cevap: Bu anne, eğer sadece oğlunu eve götürmüş ve başka bir şey yapmamışsa, o zaman sadece oğlunun davranışından etkilenmiş oluyor.

Soru: Annenin niyeti ve bilgisi nerede devreye giriyor?

Cevap: Anne oğlunu eve götürdükten sonra ne yaptı? İşte bakılacak nokta o.

Sadece davranışa yönelik anne, "Arkadaşlarını ısırmayacaksın! Bir daha arkadaşını ısırırsan seni şöyle yaparım-böyle yaparım..." der ve gözetmeye başlar.

Oysa, niyet ve bilgisini devreye sokan, geliştiren anne-baba, çocuğuyla sohbet içine girerek çocuğunun; 1) Niçin ısırdığını anlamaya çalışır; 2) Başkası kendisini ısırsa ne düşüneceğini öğrenmek ister; 3) Çocuğun anlayacağı dille yaşamın bir ekip işi olduğunu, oynayabilmek için oyun arkadaşı gerektiğini ve kötü davranışla arkadaşlarını kaybedeceğini anlatır. 4) Başkasının onu ısırmasına izin verilmeyeceği gibi, onun da başkasını ısırmasına izin verilmeyeceğini söyler.

Böylece çocuğun sadece belirli bir davranışına odaklanmayan, onu aşan bir anlama sistemi çocuğa öğretilmeye çalışılır.

Çocuklarından şikâyet eden anne-babalardan mektup alırım sürekli. Farklı farklı olsa da hepsinin altında, "Çocuğum neden bizim istediğimiz gibi davranmıyor" şikâyeti olur. Hep davranış sorunları.

Çocuk lisede sınıfta öğretmenleriyle, arkadaşlarıyla sorun yaşamaya başlar; "yapma oğlum/kızım" nasihatleri gelir önce; daha sonra, "eğer yaparsan seni şöyle cezalandırırım, böyle pişman ederim" gelir.

Geliştiren anne-baba, çocuğun iç özgürlüğünü elde etmeden dış özgürlüğünü kullanamayacağını bilir. Çocuk annesini emerken, mama alırken, yeni yeni yürümeye başlarken, ayakkabısını bağlamaya çalışırken, okumayı yazmayı sökerken, ev ödevlerini yaparken, arkadaşlarıyla buluşup oynarken, geziye çıkarken anne-babanın takındığı tavır, yaptığı kaptanlık, onun iç özgürlüğünü inşa etmesi açısından önemlidir. Özgürlüğü içinde bulmadan, dış özgürlüğü anlamlı bir şekilde yönetmek zordur. Ve çocukta iç özgürlüğü inşa etmek için önce sizin kendi iç özgürlüğünüzü inşa etmeniz gerekir.

Kolay mı? Hayır!

Zorluklara değer mi, anlamlı mı? Evet!

Kaygı ve Telaş Yok, Güven ve Sakinlik Var

Öğrenen, gelişen anne-baba olmaya karar vermiş kişi sonucu değil, süreci önemser. O nedenle önemli olanın olayları sakin bir şekilde değerlendirmek olduğunu bilir. Bu sakinlik tüm aileye güven duygusunun yayılmasına yol açar. Gelişme ve öğrenme için güven ve sakinlik gerekir. Çocukların kontrolden çıktığı ve herkesin ne yaptığını bilmez bir halde olduğu bir anda, anne-baba olarak sizin sakin ve güvenli davranmanız konuşma, dinleme, anlama ve gelişme için bir ortam hazırlar. Sakin olabilmeniz çok önemli bir mesajdır. Sakinmiş gibi görünmek değil, gerçekten sakin olmak. Onun için uçaklarda salık verildiği gibi, telaşa kapılmadan oksijen maskesini önce kendinize sonra çocuğunuza takacaksınız. Kendinize değer vereceksiniz; kendi gereksinmelerinizi ciddiye alarak, onları anlayıp karşılamaya önem vereceksiniz. Bu tavır bile çocuklar için kendi başına önemli bir mesajdır. Çünkü kendine değer vermeyen bir başkasına gerçekten değer veremez.

Shakespeare bir oyununda, "Kendini ihmal etmek, kendini sevmekten daha büyük bir günahtır," der. Ben bu sözü gerçekçi buluyorum. Önemli bir söz; üzerinde düşünmeye değer. Anne-babaların bu söz üzerinde düşünüp aralarında konuşmalarını isterim. Kendini ihmal eden bir annenin/babanın çocuğuyla kurduğu ilişki ile kendini ihmal eden bir annenin/babanın çocuğuyla kurduğu ilişki farklı olacaktır. Kendi beden ve ruh sağlığına önem veren, özen gösteren bir anne veya baba bencil değil, uzun vadeli düşünen olgun biridir. Kendini ihmal ederek saçını süpürge eden anne veya baba oksijen maskesini önce kendine takmadığı için oksijeni çabucak biter ve ne kendine, ne işine, ne eşine, ne de çocuğuna bir hayrı olur.

Sen-Ben-Biz

Bazı insanlar sadece kendilerini düşünerek "ben" derler. Böyle biri, eşini çocuğunu, iş arkadaşını, öğretmense öğrencisini, doktor ise hastasını düşünmez. "Ben" derken kendi derdi, kendi kazancı ya da kaybı söz konusudur. Bazı insanlar ise, "ben" derken ekip içinde yer alan kendinden söz ediyordur. Böyle birinin aklında bir "biz" vardır. Bu "biz"in parçası olarak "ben" diye konuşur. Bu kişi "ben" derken eşini, çocuğunu, iş arkadaşını, öğretmense öğrencisini, doktor ise hastasını dışlamadan "ben" der.

Burada iki farklı "ben"i görebilmemiz önemlidir. Bunlardan biri korku-kaygı kültürünün yarattığı "bencil ben", diğeri de saygı-güven kültüründeki biz ilişkisinin yarattığı "bizcil ben"dir. Bencil ben, "sana karşı, sadece kendim için var olan ben"dir. Bizcil ben ise, "seninle birlikte, senin ve benim içinde yer aldığım ekibin yararı için var olan ben"dir. İlkinde "ben" güçlendikçe karşısındaki "sen" zayıflar, yok olur. İkincisinde ise, "ben" güçlendikçe, ekibin içinde yer alan diğer "sen" de güçlenir.

Ben bilincindeki anne-babanın sevgisinde sadece kendisi vardır; kendisi için sever, çocuk onun için bir tatmin aracıdır. Çocuk bunu hisseder ve sevilecek biri olarak var olmak için hırçınlaşır, dikkat çekmeye çalışır.

Sen bilincindeki anne-babanın sevgisinde kendisi yoktur; sadece çocuk için sever. İlk başta bu ulvi bir sevgi gibi görünür. Ancak, annenin babanın kendisinin olmadığı, sadece çocuğun olduğu bir sevgi mümkün değildir; insan doğasına aykırı, "mış" gibi bir sevgidir. Çocuk bu doğal olmayan mış gibiliği sezer. İlişkide kendisi olmayan, olduğu halde sanki yokmuş gibi bir tavır içinde olan kişiye güvenemez. Güven duygusunu kaybeder ve o küçücük haliyle güvenilecek, gerçekten var olan birini arar. Böyle birini bulamazsa, güveni ve saygısı sarsılmış biri olarak yetişir. "Saçını süpürge eden" biri kendini var edemediği için, bir başkasını sağlıklı ve mutlu bir kişi olarak yetiştirme konusunda etkili olamaz. Süpürgen yoksa ve süpürgeye ihtiyacın varsa "saçını süpürge et" ama bunu kendini var etmek için yap ve bundan da gurur duy. Başkalarını suçlamak için kullanma. Başkasını suçlayarak fedakârlık yapmanın ne kendine ne de çocuğuna yararı olur; tam aksine derinlerde çocuğunun varoluşunu zedeler.

Biz bilincindeki anne-babanın sevgisinde hem kendileri hem de çocuk vardır. "Seni sevince benim hayatım daha anlamlı, daha zengin oluyor" duygusunu yaşarlar ve yaşatırlar. Çocuk hem kendini hem de onları bu sevgide vazgeçilmez görür. Ve bu ilişki içinde önemli olmanın, olduğu gibi kabul edilmenin, vazgeçilemez olmanın, güvenilmenin, sevilmenin ve saygı duyulmanın mutluluğunu yaşar. Bu mutluluk karşılıklı paylaşılan bir mutluluktur. Bundan daha doyurucu başka bir duygu düşünmek zordur. Bu ilişki içinde çocuğun varoluşu beslenir ve çocuk sağlıklı bir gelişim süreci içinde büyümeye devam eder. Varoluşu sağlıklı bir şekilde gelişen bir insan yaşamla her durumda sağlıklı bir dans oluşturur. Yaşamın müziği ne olursa olsun, ister zeybek, ister çökertme, ister göbek havası, ister tango ya da gerekiyorsa bir ağıt, yaşamla sağlıklı bir ilişki oluşturur.

Şunu da söylemeden geçemeyeceğim. Anne veya baba çocuğu için evliliğinden fedakârlık yapmaya başlarsa, bundan ne evlilik ne de çocuk yararlanır. Böyle bir durum farkına varılıp düzeltilmezse hem evlilik hem de çocuk kaybedilir. Diyelim çocuk sorumsuz ve haftalık harçlığından daha fazla para harcıyor. Anne ya da baba, eşine haber vermeden çocuğun açığını kapatıyor. Bu gizli ilişki zamanla ailenin değerler bütünlüğünü bozar ve kimseye yararı olmayan kötü bir alışkanlığa dönüşür. Aile değerlerinin yaşaması için "biz bilinci"nin sürekli korunması gerekir.

Sözünü ettiğim "biz" kendimi, eşimi, çocuğumu, evliliğimi ve ailemi kapsayan bir bizdir. Kendi değerini keşfedip, kendine bakan, kendi gereksinmelerini "biz bilinci" içinde ciddiye alan anne ve babalar olgun insanlardır. Biz bilincinde anne ve babaların sayısı artıkça toplumsal barış ve özgürlükçü demokrasinin güçleneceğine inanıyorum.

Değişip Gelişmeme Engel Var mı?

Diyelim ki buraya kadar okuduklarınızdan ikna oldunuz ve "Ben kültürel kalıp içinde çocuk yetiştiren bir anne-baba olmak istemiyorum; değişmek, gelişmek istiyorum," diyerek önemli bir karar verdiniz. Şimdi gelelim işin zor kısmına; kendinizi değiştirmenize kimler nasıl karşı çıkar, hiç düşündünüz mü?

Değer verdiğim benim yaşlarda bir tanıdığım var. Yıllar önce sigaranın kendisine ve eşine zararlı olduğunu anlamış ve sigarayı bırakmaya karar vermişti. Yazış tarzımdan herhalde anlamışsınızdır; halen içiyor. Şikâyet ede ede, her sigara yakışında çevresindekilere bırakamadığını itiraf ederek, aslında bu meretin içilmemesi gerektiğini bildiğini anlatarak devam ediyor. Çevredeki anlayışlı kibar insanlar ona, "Günde beş taneden bir şey olmaz, bu hayattan biraz da keyif almak lazım, içinize çekmezseniz zararı yok," diyerek anlayış gösteriyorlar.

Değişmek istediğiniz zaman en önemli engellerden biri siz, kendiniz olabilirsiniz. Bunun farkında olmak ve önceden tedbirini almak gerekir. Yakından tanıdığım ve yıllarca sigara içen genç bir adam, baba olmaya karar verince, düşündü taşındı ve sonunda, "Çocuğum elinde sigarası olan bir baba görsün istemiyorum," dedi. Şimdi dokuz yaşında bir oğlu ve bir buçuk yaşında bir kızı var ve on yılı aşkın sigara içmiyor.

Üstelik bunu büyük bir zafer olarak da görmüyor. Yaptığı şeyi baba olmaya karar vermiş her insanın yapması gereken "iyi" ve "doğru" bir şey olarak görüyor. Çocuklar için adil olan aile ortamını sağladığına inanıyor. Evet, değişmeye karar veren siz kendiniz, acaba bu kararın önündeki en büyük engel olabilir misiniz? Peki, eşiniz ne diyor? Bu değişim konusunu eşinizle konuştunuz mu? Çocukları azarlama yerine onlarla açıklayıcı sohbetler kurmaya başlayan bir baba, bir gün eşinden şöyle bir söz işitebilir: "Akşam gelince babanıza söyleyeceğim, diyorum. Hiç aldırış bile etmiyorlar. Artık senden hiç korkmuyorlar; onları azarla ve döv. Gözlerini korkut. Senden korkmayınca benim de sözümü hiç dinlemiyorlar." Böyle bir eşiniz varsa, bilin ki ikinizin de üzerinde düşünmesi gereken konular var demektir. Bunlardan biri de üzerinde hem kafaca hem de gönülden anlaştığınız müşterek bir büyük resminizin, paylaştığınız bir hedefinizin olması gerektiğidir.

Eşiniz, anneniz, babanız, arkadaşlarınız, komşularınız, diğer anne ve babalar, farkında olmadan sizin değişip gelişmenize engel olmaya başlayabilirler. Eğer bilinciniz güçlü değilse, niyetinizin saflığını tam yakalayamamışsanız, bunlara takılır kalır, değişim ve gelişim yolculuğuna devam edemezsiniz.

İnsan İnsana

Kendiyle barışık insanın sohbeti
güçlüdür ve huzur verir.

Unutmayın, bir anne-babanın öncelikle kaygı ve öfkesinin farkına varması ve kendi tanıklığını keşfetmesi, kendi tanıklığı içinde "insan anne", "insan baba"yı keşfedip, insan çocukla, ebeveyn-çocuk ilişkisinin ötesinde insan insana ilişki de kurabilmesi gerekir.

Ebeveyn-çocuk ilişkisinde görevler, sorumluluklar vardır; insan insana ilişkide ise iki can vardır. Bu ilişkide canlar eşittir. Her iki can, yaş, cinsiyet, mevki, makam, güç düşünülmeden onur yönünden eşittir.

Korku-kaygı kültüründe büyüyüp, bu kültürün kalıpları içinde çocuk yetiştiren kaygı ve öfke dolu anne-baba, insan insana ilişkiyi fark edemez, sürdüremez. Çocuğun varoluşunu besleyip geliştirecek en önemli ilişki can cana ilişkidir. Bu yüzden bir anne-babanın en büyük başarısı kaygı ve öfkesini anlaması ve yönetmesidir.

Anne ve babanın kendi olarak gelişip olgunlaşması çocuklarına verebilecekleri en büyük hediyedir. Anne-baba gelişip olgunlaştıkça, çocukla yapılan sohbetin derinliği ve kapsamı da değişir; gelişen anne-baba çocuklarıyla yaşam boyu sohbet edebilir. Çocukla yapılan sohbetin derinliği ve kapsamı değiştikçe çocuk değişir, gelişir; çocuk değişip geliştikçe anne-baba da gelişir.

Bir Defter Alın

Kendinizi geliştirmeye karar verdiniz; peki bunu nasıl yapacaksınız? Ben kendime göre şöyle bir öneride bulunacağım: Bir defter alıp; üstüne "Kendi Yaşamımın Öğrencisiyim" yazın. Her gün kendinizi gözlemleyerek, kendinizin farkında olarak, kendi yaşamınızın öğrencisi olmak niyetiyle yaşayın.

Gün bitiminde, yatmadan önce, yalnız kalabileceğiniz on beş dakika ayırın; bir köşeye çekilin ve gününüzü gözden geçirin. Sakinleşin, gözlerinizi kapayın, tüm günü sabah kalktıktan o ana gelinceye kadar düşünün. Duygularınızı hatırlayın; hangi olayda, nerede, kimlerle, ne konuşurken neler hissettiniz? Ayrıntılara önem verin. Sayfayı iki sütuna bölün; bir sütuna olayı, kişiyi yazın, diğer sütuna o kişi ya da olayla ilgili duygularınızı yazın: Kaygı, stres, sevinç, hüzün, özlem, kıskançlık, incinme, gerginlik, korku, sıkılma, öfke, şefkat, özenme, tiksinme, şükür duygusu gibi.

Şimdi şu anda bu satırları yazarken Gümüldür'de kumsalda yürüyen bir anne ve iki yaşlarındaki kızını görüyorum. Anne anlayışlı, yürürken kızının elinden tutuyor; kızı yavaş yavaş denize girmek isteyince onu kucağına alıyor ve birlikte suya giriyorlar. Tam bir güven ilişkisi içindeler. Benimse içimde büyük bir hüzün var ve şu anda gözüm ıslak. Üç çocuğum küçükken, henüz 9, 4 ve 2 yaşlarındayken, onlardan dört yıl ayrı kaldım. Onlar Amerika'da ben Türkiye'de, dört yıl! O yaşlarda bana sarılmaya, kucaklanmaya ihtiyaçları vardı. Ve ben yoktum. Ve ben kötü bir insan değildim. Şimdi anlıyorum, kültürel kalıp içinde çocuk yetiştiren bir baba ve kocaydım. Bugün defterime anneyi ve kucağındaki kızı yazdığımda, bende uyanan duygular, "hüzün, acı, özlem ve suçluluk" olacak. Bir de "kendine öfke". Ve biliyorum, bunun üstesinden geleceğim; bir gün, "kendimi anlıyorum ve hatalarımı affediyorum" diye yazabileceğim bir olgunluk aşaması beni bekliyor.

Defterinize yazdığınız duyguları hangi sosyal ortamlarda, hangi ilişki içinde, hangi durumlarda, ne yaparken hissettiniz? Kendinize sorun: Bu duygular sizinle ilgili ne diyor? Kendinizle ilgili nelerin farkına vardınız?

Örneğin, ben anneyle kızını yazarken, artık sınırlar ve sorumluluk duygusunu hazmetmiş biri olduğumu ve bu olgunlukla geçmişi değerlendirdiğimi hissediyorum.

O gün kendi gözünüzde olmak istediğiniz insan olarak var mıydınız? Hangi değerleri beslediniz, hangi değerleri gözden çıkardınız, ne kadar farkındaydınız? Çocuklarım küçücükken ben kendi tanıklığını keşfetmiş biri değildim. Olgun bir insan değildim. Kendi koşullarımın bir kültür robotuydum. Empatiden yoksundum, çocuklarımın halinden anlayacak olgunlukta değildim. Adil değildim, bencil davrandım. Anlamlı ve doyumlu bir hayatın anlamının bu değerler üstüne kurulduğunun şimdi farkındayım.

Yaşadığınız günün olayları üstüne bütün düşündüklerinizi ve duygularınızı deftere yazabilirsiniz.

Defterinizi önünüze aldığınızda kendinize şu soruyu sorun: "Bugün ben neleri iyi yaptım?" İyi yaptığınız şeyler üstünde düşünün. Örneğin, zamanında toplantıya katıldınız; arkadaşınız size söylemeden onun yardıma ihtiyacı olduğunu gördünüz ve hemen yardım ettiniz; çocuk parkında bir anneye selam verdiniz ve onun yeni taşınan bir komşu olduğunu duyunca evine bir tabak börek götürdünüz.

Defterinize not alırken soracağınız bir diğer soru da, "Neleri daha iyi yapabilirdim?" olmalıdır. Toplantıya daha iyi hazırlanmış olarak gidebileceğinizi düşünüyor olabilirsiniz. Ayrıca, yeni komşunun telefon numarasını alabilirdim, çocukların ara sıra bir araya gelmelerini önerebilirdim, düşüncesi aklınızdan geçmiş olabilir.

Kendinizle, yaşamla, ilişkilerle ve diğer insanlarla ilgili nelerin farkına vardınız? Bu soruya da kendinize göre cevaplar verebilir ve notlar alabilirsiniz. Aceleci olduğunuzu, çabucak telaşa kapıldığınızı, zamanınızı iyi kullanmadığınızı gözlemlemiş olabilirsiniz ve kendinize göre bu konularda daha iyi nasıl olabileceğinizi düşünebilirsiniz.

Her hafta sonu otuz dakika ayırıp, hafta içi yazdıklarınızı

okuyun ve üzerinde düşünün. Hayatınızın en önemli gelişim sürecini başlatmış olursunuz. Defterinize aldığınız bu notlar sizin kendinizi daha iyi tanımanıza ve dolayısıyla daha iyi bir anne-baba olabilmenize olanak sağlayacaktır.

Gelişmenin Bedeli Var

Geçmişine anlam veremeyen,
geleceğine anlam vermekte zorlanır.
YAVUZ DURMUŞ (Eğitimci)

Hayatınızın herhangi bir noktasında değişmeye ve gelişmeye başlayabilirsiniz; yeter ki zaman ve emek vermeye hazır olun. Öncelikle elinizden gelenin en iyisini yaptığınızdan emin olmak önemlidir. Öğrenmenin doğası gereği, içten içe daha iyi yapabileceğimizi bildiğimiz zamanlar olur; böyle zamanlarda gereken o fazla çabayı göstermek bize o an bulunduğumuz yerin ötesine ilerleyebilme fırsatı verir.

Ebeveyn olduğunuzda, hayatınızın bu aşaması için henüz yeterli kişisel gelişime sahip olmayabilirsiniz. Ancak, böyle bir durumda, yanlış zamanlamadan dolayı kendinizi suçlamanın ya da pişmanlık duymanın bir yararı yoktur. Onun yerine, kendinize şu soruyu sormanız önemlidir: "Şimdi neredeyim; neler oluyor ve buradan nereye gitmek istiyorum?"

Enerjinizi, kendinizi veya bir başkasını suçlayarak harcamak, sadece zaman kaybetmenize neden olmaz, size pahalıya patlayacak yıkıcı sonuçlar da doğurur.

Bu satırları yazdıktan sonra, kendi geçmişimle ilgili düşünce ve duygularımı açıklığa kavuşturmak ihtiyacı hissediyorum. Ben çocuklarımla ilişkilerimde bir kültür robotuydum, ama farkına vardıktan sonra, çaba gösterdim, ilişkilerimi düzene soktum ve bugün her bir çocuğumla sohbet içinde olmaktan mutluyum. Bir şey daha yaptım: Kültür robotu olduklarının farkında olmayan iyi niyetli anne ve babalar için konferans veriyor, kitap yazıyorum. Yani, suçluluk duygusu içinde bir köşeye büzülmüş ağlayıp sızlanmıyorum.

Gelişip Olgunlaşan İnsanın Özellikleri

*Geçmişiniz taşımakta zorlandığınız
bir boyunduruk mu, yoksa sizi geleceğe
özgürce uçuracak bir çift kanat mı?*

Değişip gelişmeye başlayan insanda ne gibi özellikler oluşmaya başlar? İnsanın gelişimi üstüne dünyaca ünlü bir uzman olan ve uzun yılar terapist olarak çalışan Carl Rogers, gelişme sürecinde olan insanın nelerin farkına vardığını, neler kazandığını sıralamış. Rogers, tüm uzmanlığına rağmen şunu da söylemeden edemiyor: "Bireylerin gelişimleri ve ilişkileri hakkında, oğlumun ve kızımın bebeklikten çocukluğa geçişi sırasında öğrendiklerim, meslek hayatımda öğrendiklerimden çok daha fazlaydı."

Rogers'a göre, gelişmekte olan insan:

- Olmadığı bir kişi olarak görünmenin ne kendine ne de başkasına faydası olduğunu iyice anlar.
- İçinde hissettiğinden farklı göründüğünde, güvenilirliğini kaybedeceğini bilir.
- Kendi olduğunda daha başarılı olacağını bilir.
- Kendini olduğu gibi kabul ettiği zaman değişip gelişebileceğini anlamıştır.

- Bir başka kişiyi gerçekten dinlemenin ve anlamanın o kadar kolay bir şey olmadığını, bunun için insanın çaba göstermesi gerektiğini bilir.

- Karşısındakini gerçekten dinlediği zaman kendisine değer kattığını, geliştiğini, insanları daha iyi anlamaya başladığını bilir.

- Diğer insanların kendisinden farklı anladıkları, düşündükleri ve davrandıkları zaman da iyi ve saygıdeğer insanlar olabileceğini anlamıştır. Her bireyin kendi deneyimlerinden kendi tarzında faydalanmasının ve onların içinden kendine göre bir anlam yakalamasının yaşamın en paha biçilmez özellikleri olduğunu fark etmiştir.

- Kendinin ve başka insanların gerçekliklerine kendini ne kadar açabilirse, "bir şeyleri düzeltme" telaşına o kadar az kapıldığını görür. İnsanları kalıplara sokma, yönlendirme ve kendi istediği yola sokma arzusunu o kadar az hisseder; sadece kendisi olmak ve diğer kişinin de kendisi olmasına izin vermek onu daha mutlu etmeye başlar.

- Kendisi için doğru olan bir yolda ilerlediği için pişman olmayacağını bilir.

- Her insan kendisini hem özgür hem güvende hissedeceği bir ilişki yaratma çabası içindedir; bu çabanın değerli olduğunu anlar.

- Maskelerinin arkasına saklı insanın yalnız insan olduğunu, hayatın anlamının maskede değil, "can"da olduğunu görür. Ortamda güven azaldıkça maskenin, güven artıkça canın güçlendiğini bilir.

- İnsanın can olmaya başlayınca artık inançlarında katı olmayacağını, belirsizliğe tahammül edebileceğini görür.

- "Beni derinden tatmin edeni, beni gerçekten ifade eden bir şekilde mi yaşıyorum?" sorusunu önemser. Yaratıcı bireyin en önemli sorusu budur.
- İçinde özgürlüğünü keşfeden insanın "sahip olmaya" değil, "hakikatini yaşamaya" değer verdiğini görür.

Carl Rogers saygı duyduğum, değerlerini paylaştığım, yaşam felsefesini kendi yaşam felsefeme yakın bulduğum biri. Rogers, kendisinden danışmanlık alan insanların girdiği olgunlaşma sürecinden bahseder. [7]

Bu olgunlaşma süreci içinde kişi kendi iç dünyasının daha farkında olmaya ve suçu başkasına atma yerine sorunlarından sorumluluk almaya başlar. Kendine ve ilişki içinde olduğu insanlara güveni artar. Duygu ve düşüncelerini daha rahat bir biçimde paylaşmayı öğrenir. Mükemmellik arayışından vazgeçerek kendini ve diğer insanları olduğu gibi görmeyi ve kabul etmeyi öğrenir.

Carl Rogers'ın ifade ettiği olgunlaşma süreci, "başkaları ne der" bakışından "ben ne derim" bakış açısına doğru bir gelişmeye işaret ediyor. Birey kendi iç dünyasıyla sohbet etmeyi öğreniyor.

Anne-baba çocuğuyla sohbet içinde olmaya özen gösterirse çocuğun kendi iç dünyasıyla bilinçli bir ilişki geliştirmesine yardımcı olur.

Emek ve Zamana Değer mi?

Gelişmek, olgunlaşmak kendiliğinden olmaz; emek ister, zaman ister. Zahmetli bir iştir. Bir anne-baba neden bu zahmete girsin?

Bugün dünya üzerinde güçlü ya da etkili mevkilerde bulunanlar, yetiştirildikleri aileye bağlı olarak, ellerindeki gücü ya "ben" ya da "biz" bilinci içinde kullanmaktadır. Ben bilinci içinde güçlerini kullananlar sorun yaratır, biz bilincinde olanlar sorun çözer. Dünyamızın sorun çözen insanlara ihtiyacı var.

Yani anne-baba sadece sağlıklı çocuk yetiştirmek için emek vermemekte, dünyanın daha anlamlı ve barışçıl bir geleceğine de hizmet etmiş olmaktadır. Bana göre bundan daha kutsal bir uğraş olamaz.

DÖRDÜNCÜ BÖLÜM

Anne-Baba Olarak Neleri Bilmeli, Nelerin Farkında Olmalıyım?

Şimdiye kadar okuduklarınızı kısaca hatırlatalım: Kucağınıza alıp gözlerine baktığınız çocuk, özünde nasıl biri? Birinci bölümde bunun üzerinde konuştuk. O sizin çocuğunuz, ama size ait değil. O size emanet edilmiş, sizin şu an hayal bile edemeyeceğiniz bir geleceği yaratmaya aday muhteşem bir potansiyel. Ve sizin içinizde iki temel duygu var; sınırsız bir sevgi ve insana huşu duygusu veren büyük bir sorumluluk.

Niyetiniz ne? Bu çocukla ilgili gönlünüzün muradını keşfettiniz mi? O çocuk sizin için mi, yoksa yaşam için mi var? Muhteşem potansiyeli bir kalıp içine sokmak mı, geliştirmek mi istiyorsunuz? İkinci bölümde bu soruları dile getirdik ve cevaplarını aradık.

Siz kimsiniz? Siz, çocuğunuzu kalıplayacak biri mi, geliştirecek biri misiniz? Kitabı aldığınıza ve okumaya devam ettiğinize göre, çocuğunu geliştirmek isteyen bir anne-babasınız ve çocuğun davranışına değil, o davranışı yapan çocuğun varoluşuna önem veriyorsunuz. Korku, kaygı ve öfke dolu bir anne-baba değil, güven, umut ve şükür yüklü bir anne-baba olmaya özeniyorsunuz.

Peki, çocuğunun varoluşuna önem veren, geliştiren annebaba olmanız için neleri bilmeniz, nelerin farkında olmanız gerek? Bu bölümde bunları ele alacağız.

İlk olarak, karı koca olarak ilişkinizden söz edeceğim.

İkinci olarak hem annenin hem de babanın içinde büyüdükleri kendi çocukluk ortamlarına bakacağız; nerede, hangi ailede yetiştiklerinin ne kadar farkındalar?

Üçüncü olarak, eşlerin çocuk yetiştirme konusunda düşünce ve tarzlarında ne kadar benzeştikleri ya da ayrıştıkları konusu üzerinde duracağım.

Dördüncü olarak anne-babanın çocukla ilişkilerinde neleri bilip farkında olmaları gerektiği üzerinde duracağım; kitaplarımda ele aldığım iletişim ve ilişki konusunda yazdıklarımın bir hatırlatmasını yapacağım.

Beşinci olarak çocukla ilişki kurmanın yöntemini ele almak istiyorum. "Çocukla nasıl ilişki kurayım?" sorusuyla bağlantılı olarak "sohbet" kavramını ele alacağım.

Eş Olarak İlişkimiz Sağlıklı mı?

*Bilmediğinin farkında olan bilgisiz,
bilmediğinin farkında olmayan cahildir.*

Sağlıklı bir ailenin temelini sağlıklı karı koca ilişkisi, yani evlilik oluşturur. Sağlıklı karı-koca ilişkisinin tanımı dışarıda değildir; eşler bunu kendi içlerinde hissederler, sezgisel olarak bilirler. Derinde hissettikleri nedir?

İlk olarak, sağlıklı evlilikte kadın kadın olarak, erkek erkek olarak kendini var ve önemli hisseder. İster kadın olun ister erkek, siz bir insansınız ve insan olarak *kendinizle* ilişki içindesiniz. Bu, bir insanın hayatındaki en temel ilişkidir ve diğer bütün ilişkiler bu temel üzerine kurulur. Kendini geliştirmek isteyenler, öncelikle kendileriyle olan ilişkilerini gözden geçirerek sağlıklı olup olmadığını anlamaya çalışırlar. Sağlıklı evlilikte kendini kendin olarak var ve önemli hissedersin. Kayınvalidenin, kayınpederin, eşinin halasının, dedesinin hiç kimsenin gözüne girmek zorunda değilsin; sen sensin, sen olarak varsın ve önemlisin.

İkinci olarak, eşler ilişkide kendilerini olduğu gibi kabul edilmiş hissederler. Esmer sarışın, kısa uzun, hamarat beceriksiz, uysal hırçın, güzel çirkin, şu veya bu meslekten olman fark etmez; sen kendin olarak var olduğunu ve olduğun gibi kabul edildiğini hissedersin.

Üçüncü olarak, eşler kendilerini değerli hisseder. Ne demek değerli hissetmek? İlişkide yeri doldurulamaz, biricik, emsalsiz hissetmek. Kadın, kocasının gözünde kendi değerini görür ve içinde hisseder; "Dünyada birçok kadın var, içlerinde senden daha güzeli, daha akıllısı, daha zengini, okumuşu olabilir. Ama benim gözümde senin gibi bir tane daha yok. Senin yerin doldurulamaz." Erkek karısının gözünde kendi değerini görür ve içinde hisseder; "Senin yerin doldurulamaz; beraber olmak istediğim tek erkeksin! Seni, sen olduğun için hayatımda istiyorum. Sana zenginlik, yakışıklılık, mevki makam, güçlü olma gibi herhangi bir listede 'en' olduğun için değil, 'sen' olduğun için değer veriyorum."

İlişkide değerli hissetmek budur; eşinin bakışında bunu görürsün. Ve o nedenle bilirsin ki, kendinden başka olman gereken hiçbir şey yoktur. Senden tek istenen, daha kendin olmandır.

Dördüncü olarak, eşler birbirlerine güvenirler. Bu ilişkinin niyetine, güvenirler. Sorunlar çıktıkça sorunları birlikte çözeceklerine güvenirler. Birbirlerine adil davranacaklarına, verdikleri sözleri tutacaklarına, iyi günlerde olduğu kadar kötü günlerde de ekip olarak ellerinden gelenin en iyisini yapmaya çabalayacaklarına güvenirler. Bu güven geleceğe umutla bakmanın temelini oluşturur.

Beşinci olarak, eşler kendilerine zaman ayrıldığını ve emek verildiğini görürler. Evet, eşiniz sizin gelişmenizi ve olabileceğinizin en iyisi olarak mutlu olmanızı istemektedir. Birisi sizin için emek ve zaman verdiğinde sevildiğinize inanırsınız. İçiniz bunu bilir.

Altıncı ve son olarak, sağlıklı bir evlilikte eşler kendilerini hem birbirlerine ait, hem de birbirlerinden tamamıyla farklı, bağımsız birer insan olarak hisseder. Birliktesiniz ama birbirinize ait değilsiniz. Kendi özgür iradenizle birlikte olmayı seçtiniz, ama farklı insanlarsınız ve farklarınıza saygılısınız. Birbirinize benzediğiniz kadar birbirinizden farklı olduğunuz için de ilişkiniz anlamlı ve zengindir. İçiniz bunu bilir.

İşte sağlıklı evlilik böyle hisseden karı-kocaların evliliğidir. Her evlilik bu altı tanıklık boyutunda değerlendirilip bir sağlıklı evlilik durumu belirlemesi yapılabilir.

Her evlilik ilişkisinin kendine özgü bir yolculuğu vardır; kimisi başlangıç noktasından daha sağlıklı olmaya doğru giderken kimisi gittikçe sağlığını kaybeder ve taze bir çiçek bahçesi olarak başlayan evlilik zamanla bir çöplüğe dönüşür. Çiçek bahçesinde yetişen çocukla çöplükte yetişen çocuk, doğal olarak birbirinden farklı olacaktır.

İşte, tam da bu nedenle, *evlendiğinizde hangi aşamada olduğunuz değil, evliliğinizin nereye doğru gittiği daha önemlidir.*

* * *

Ailenin Temeli, Eşler Arasındaki İlişkidir

Dürüst insan sakin ve huzurludur.

Ailenin temeli eş ilişkisi, yani evliliktir. Evliliği sağlıksız olan bir karı-kocanın sağlıklı bir aile ortamı oluşturarak sağlıklı anne-baba olması düşünülemez.

Çocuk doğar doğmaz çevresini hisseden ve varoluşuyla ilgili sezgisel düzeyde iki soru soran bir varlıktır: Güvende miyim ve olduğum gibi kabul ediliyor muyum?

Sağlıksız ailede eşler arasındaki gerginliği hisseden çocuk, kendini güvende hissetmez; sürekli kaygı içinde olur. Hissediş düzeyinde bilir ki, birbirlerini olduğu gibi kabul edememiş bu iki kişi, onu da olduğu gibi kabul edemeyecektir. Ayrıca, biraz büyüyüp bebeklikten çocukluğa geçince sürekli çekiştirildiğini hissetmeye başlar; anne ve baba kendi aralarındaki kavgada onun taraflardan birini seçmesini istemektedirler. Bir çocuğa karşı işlenebilecek en büyük hatalardan biri budur. Çocuk ne onları ne de kendini sevebilir. İçi boşalır, anlamsız bir hayat içinde bedenen büyüse bile, ruhen küçülür.

İyi anne-babalar kendileri olma cesaretini gösteren ve aynı zamanda iyi eş olmayı başaran insanlardır. İyi anne-baba, çocukları uğruna, kendiyle ve eşiyle ilişkisinden fedakârlık yapan anne-baba değildir. Böyle fedakârlıkların yapıldığı evlilikler çocuklar büyüyüp evden ayrılınca yalnızlaşır ve çekilmez hal alır. Boşanma istatistiklerine bakın; çocuklar evden ayrıldıktan sona ayrılanların sayısının arttığını görürsünüz. Bu ailelerde çocuk, büyüyüp evden ayrıldığı için suçlu hissettirilir.

Anne-baba olma yolunda en önemli adımlardan biri, çocuk sahibi olmaya birlikte karar vermektir; eşlerden biri çocuk isterken diğeri henüz pek istekli değilse, muhtemelen hem anne ve babalıkta hem de eş ilişkisinde sorunlar oluşacaktır. Henüz eşler gençken, hevesleri ve güçleri yerindeyken çocuk sahibi olmak ve çocuklarla uğraşmak daha yerinde bir karar olarak görünse de, bu tek taraflı verilecek bir karar değildir. Tekrar altını çizmek istiyorum; çocuk yetiştirmek bir ekip işidir. Üstelik, çocuğun anne-baba kadar, halaya, teyzeye, büyükanneye, dedeye, komşuya, mahalleye de ihtiyacı vardır. Ekip ne kadar birbiriyle uyumlu ise çocuk yetiştirmek o kadar kolaylaşacaktır.

Kendi Yetiştiriliş Tarzımı Biliyor muyum?

Korku zihni sakatlar.
J. KRİSHNAMURTİ

Evet, kendi yetiştiriliş tarzınızı biliyor musunuz? Çocukluğunuzun nasıl geçtiğinin farkında olmanız önemli. İçinizde utanca boğulmuş bir çocuk var mı? Hiç kimse, kötülük olsun diye, bile bile çocuklarına kötü annelik babalık yapmaz; iyilik yaptığını düşünürken farkında olmadan kötü şeyler yapar. Anne-babaların farkında olmadan yaptığı kötülüklerin en başta gelenlerinden biri de çocukları utandırarak yetiştirmektir.

Kendi çocukluğunuzla yüzleştiniz mi? Kendi çocukluğunuzu anlamadan sağlıklı anne-baba tavrı göstermeniz hemen hemen olanaksızdır.

Peki, eşiniz çocukluğuyla yüzleşti mi? Çocukluğunuz hakkında eşinizle konuşabiliyor musunuz? İçinizdeki utandırılmış ve bastırılmış yönleri keşfedip aranızda konuşabiliyor musunuz? "Evet, konuşabiliyoruz" diyorsanız, aferin size. Önemli bir aşamayı başarmış ve olgun bir ilişkiye ulaşmışsınız.

Utanç olumsuz bir duygu olduğundan üzerinde konuşmak zordur; ne var ki, üstü kapatılıp gizlendikçe de güç kazanır. Utancın esaretinden kurtulmak için cesaretimizi toplayıp, üzerinde konuşmamız gerekir. Utancından kurtulan kişinin yaşayış tarzı ve ilişkileri daha sağlıklı olur. Utanca boğulmuş kişi korku, kaygı, suçlama ve öfke içindedir. Utanca boğulmuş kişi ya diğerlerini suçlar, öfkeli, kindar ve korkak olur, ya da kendini suçlar, kendini değersiz görür, isyan eder, patlar veya depresyona girer.

Utanca boğulmuş kişi kendisi olmaktan çekinir, başkalarının beklediği gibi görünmeye, giyinmeye, düşünmeye, davranmaya çalışır; kendi iç dünyasında yalnızlaşır ve bunalır. Ve bu kişi gittikçe şiddete yönelebilir. Sadece şiddetin değil, depresyon, kaygı, bağımlılık, kötü yeme alışkanlıkları, kabalık, saldırganlık, intihar, cinsel saldırıların temelinde de utanç duygusu vardır. Aile içi şiddet, utanç duygusundan kaynaklanır. Herkes utanç konusunun kendi bireysel sorunu olduğunu düşünür, ama aslında utanca boğulmak geniş çaplı toplumsal bir sorundur.

Utanca boğulmuş yönlerinizle tanışınca yavaş yavaş iç özgürlüğe gidiş yolculuğunuz başlar. Siz özgürleştikçe kendi tanıklığınızın önemini kavramaya başlar, olayları daha sakin ve gerçekçi bir şekilde değerlendirmeye ve bir çerçeveye oturtmaya başlarsınız. İşte bu çerçeve sizi daha sakin ve umut dolu bir insan ve anne-baba haline getirir.

Aziz Nesin'in ikinci eşi Meral Çelen çocukluğunun kendisini nasıl etkilediğini, hayatını yazdığı kitapta [8] anlatıyor:

"Aziz'den bana bir evlenme teklifi gelmeseydi yıllar yılı dost olarak kalabilirdik. Kendime ve duygularıma bu kadar egemen olabilmek, çizdiğim sınırın dışına çıkma-

*mak bazen beni bile korkutur. Bu katılık, yoksulluk için-
de geçen çocukluğum ve genç kızlığımdan kaynaklanı-
yor. Alamayacağım, sahip olamayacağım her şeyi ken-
dime yasaklamıştım. Bu bir zaman sonra beğenilerimi ve
duygularımı da kapsadı. "*

Çocukluğunun farkında olan, bugün nasıl bir yetişkin ol-
duğunu daha iyi anlar. Bugün nasıl bir yetişkin olduğunu an-
layan insan daha bilinçli ve daha etkili bir baba ve anne olma
olanağına sahiptir.

Anne-Baba Olarak Niyetimizi Aramızda Konuştuk mu?

Anne-baba olarak aranızda şu sorular üstüne konuştunuz mu:
Çocukluk nedir? Çocuk yetiştirmekten ne anlıyorum? Çocuk
yetiştirirken niyetimiz ne?

Çocukluk yaşam köklerinin oluştuğu, inşa edildiği dönem-
dir. İnsan yaşamının en önemli dönemidir: İnsanın anavatanı
çocukluğudur. Anne-baba olarak çocukluğun önemi üzerin-
de aranızda anlaşıyor olmanız önemlidir.

Bambu ağacı yetiştiren bir çiftçinin öyküsü bana çocuklu-
ğun önemini anlatıyor; sizlerle paylaşmak istiyorum.

Çiftçi bambu ağacının tohumunu eker, gübreler ve sular.
Mevsimler geçer ve birinci yıl tek bir filiz bile çıkmaz.

Deneyimli çiftçi, tohumu gübreleyip, sulamaya devam
eder. Yine mevsimler geçer ve ikinci yıl da bir şey değişmez.

Üçüncü yıl, dördüncü yıl da böyle geçer. Hâlâ görünürde
tek bir filiz bile yoktur. Sabırlı çiftçi, umut ve güven doludur;
tohumu gübreleyip, sulamaya devam eder.

Beşinci yılın sonlarına doğru bambu yeşermeye başlar ve
altı hafta gibi kısa bir sürede yaklaşık 27 metre boyuna ulaşır.

Bambu büyümeye devam eder ve bir kaç yıl içinde kırk metreyi geçer.

Şimdi size bir soru sorayım: Bambu ağacı 27 metre boyuna altı haftada mı geldi?

Dışarıdan öyle görünüyor, ama çiftçi bunun böyle olmadığını biliyor. Bambu yeşermeden önce geçen beş yılın ve verilmesi gereken emeğin farkında. Bildiği için sabırla, umutla ve şevkle emek verdi ve yapması gerekeni yaptı. Tohum beş yıl süresince büyük bir sabırla ve ısrarla sulanıp gübrelenmeseydi ağacın büyümesinden, hatta var olmasından, söz edebilir miydik?

Hem anne hem baba bilmelidir ki, biz dışarıdan hiç görmesek de, çocukluk döneminde insan dört temel alanda kök salmaktadır.

Bu köklerden ilki yaşam yetkinlikleriyle ilgilidir; yaşamını devam ettirme, hayatta kalma bilgi ve becerilerini kapsar. Böylece çocuk doğumdan sonra nefes almayı, emmeyi, zamanla yürümeyi, yemek yemeyi, konuşmayı başarır. Ve ömür boyu öğrenmeye devam eder.

İkinci kök akıl, zihin ve düşünme yetkinlikleriyle ilgilidir. Çocuk merak etmeyi, soru sormayı, gözlemlerinden sonuç çıkarmayı, bu sonuçlar arasında ilişki kurmayı ve yeni zihinsel sistemler oluşturmayı öğrenmektedir. Bu sürece saygılı bir aile ortamında büyüyen çocuk sağlıklı düşünen biri olarak yetişir.

Üçüncü kök, ilişkiler ve duygusal yetkinliklerle ilgilidir. Çocuk güvenip sevmesini, arkadaş, dost edinmesini, uzak durulacak kişileri, özlenecek kişileri, oyun ekibinde yer vereceğiyle ekibin dışında tutacağı kişileri tanımayı öğrenmektedir.

Dördüncü kök çerçeve oluşturma, büyük resim inşa etme, anlam verme yetkinlikleriyle ilgilidir. Çocuk yavaş yavaş, belli belirsiz kendi anlam dünyasının büyük resmini inşa etmeye başlar. Çocuk, her insan gibi, hayatında yer alan her şeye anlam vermek ister. Hayatında yer alan veya yer almayan ama farkında olduğu her şeye anlam veren bir çerçeve oluşturur. Bu çerçeve çocuğun mahrem dünyasında, aynı bambunun kök salması gibi, yavaş yavaş oluşur ve özellikle ergenlik döneminde son halini almaya başlar.

Evet, bir insanın anavatanı çocukluğudur ve çocukluk süresince dört temel yaşam kökü gelişmektedir. Annenin, babanın ve ailede yer alan diğer büyüklerin bunu bilmesi ve saygı göstermesi önemlidir.

Anne-Baba Olarak Aynı Niyette misiniz?

Aynı niyette olup olmadığınızı anlamak için zaman ayırıp iki önemli soruya nasıl cevap verdiğinizi aranızda konuşun. Bu sorulardan ilki, "Çocuğumun nasıl biri olmasını istiyorum?" sorusudur; ikincisi de "Başarıdan ne anlıyorum?"

Daha önce değindiğimiz gibi, insanın iki doğası vardır. "Yüz" doğası, toplumsal insana karşılık gelir ve kişinin diğerlerinin gözünde varoluşunu anlatır. Toplumsal insan, toplumda kullanılan ölçütler içinde bir kimlik sahibi olur. Böylece mesleğinize göre bakkal, doktor, tamirci, yargıç, tercüman olabilirsiniz. Mali durumunuza göre zengin, fakir, orta halli olabilirsiniz. Bekâr, sözlü, nişanlı, evli, anne, baba, dede, nine, komşu, akraba sözcüklerinin hepsi toplum tarafından tanımlanmış toplumsal insan etiketlerini belirtir.

"Can" doğası, bireysel insana karşılık gelir ve kişinin kendi gözünde varoluşunu anlatır. Kendine saygısı olan, mutlu, huzurlu, sakin, umut dolu, sevecen insan dediğimiz zaman kişinin kendi gözünde varoluşuyla ilgili bir şeyler söylemiş oluyoruz. Anne-baba olarak bilmelisiniz ki, insanın hem yüz ve hem de can doğası gerekli ve önemlidir. Önemli olan, hangisine öncelik vereceğimizdir.

Başarı konusuna gelince, okul başarısı, meslek başarısı, evlilik ve aile başarısı ve yaşam başarısından anne ve baba olarak siz ne anlıyorsunuz? Sizin ailece önceliğiniz hangi tür başarı? Bu konularda anne-baba olarak konuşmanız ve bir uzlaşmaya varmış olmanız, çocuğunuzun sağlıklı gelişimi için önemlidir.

Denetleyici veya Geliştirici Anne Babalar

Yaşamın yüz baskın yönüne öncelik veren ve çocuğunun başkalarının gözünde önemli bir birey olmasını isteyen kişiler çocuğun davranışını ve görünüşünü önemserler. Onlar için okul notu çok önemlidir; çocuğun nerede nasıl davrandığını, ne giydiği, başkalarının beğenisini kazanıp kazanmadığı gibi konular da çok önemlidir. Bunları önemseyen anneler ve babalar çocuğun dış görünüş ve davranışını ellerinden geldiğince düzeltmeye yönelerek denetleyici anne-babalık yaparlar.

Denetleyici anne-babalar çocuklarının kendilerinden çekinmelerine, korkmalarına önem verirler. Onların dilinde bu "saygı"dır. Korku ile saygı arasındaki farkı anlayamadıklarından, "iyi çocuk yetiştirmek" adına çocukları korkuturlar, utandırırlar.

Yaşamın can baskın yönüne öncelik veren ve çocuğun kendi gözünde önemli bir birey olmasını isteyen kişiler, çocuğun davranışından çok onun varoluşuna öncelik verirler. Onlar için çocuğun okulda yeni şeyler öğrenip kendini geliştirmesi ve bunun için çaba harcaması, aldığı notlardan daha önemlidir. Özgürce düşünebilmesi ve seçimlerinin altında yatan değerleri fark etmesi, görünüşünden daha önemlidir. Bunları önemseyen anneler ve babalar ellerinden geldiği kadar rol model olup, geliştiren anne-baba olmaya gayret ederler. Geliştiren anne ve baba olmak için güvenilir insan olmanız gerekir. Güvenin kaynağı "can"dır. Ancak can cana ilişkilerde böyle bir inanç ve güven oluşur. Geliştiren anne-baba olmaya çalışanlar çocuklarının kendilerine güvenmesi ve saygı duyması için güvenilecek ve saygı duyulacak insan haline gelmeye özen gösterirler.

Bu konularda anne-baba arasında benzer düşünce ve yaklaşımların olması çocuğun gelişimini derinden etkiler.

Sorumluluk Kimin?

Çocuğunuzu yetiştirirken sorumluluk konusunda açık seçik olmanız önemlidir. Israrla yeniden ve tekrar tekrar söylemek istiyorum: Çocuk yetiştirme bir ekip işidir; yani hem anne hem de baba çocuk büyütme sorumluluğunu paylaşmak zorundadır. Doğumdan sonra, emzirme işi zorunlu olarak annededir, ama onun dışında bütün konularda baba sorumluluk alabilir. Sağlıklı bir aile ortamının oluşması için eşler arasında sorumluluk paylaşımı önemlidir. Şunu açık seçik belirtmek isterim ki, çocuğun yetişmesinden baba da anne kadar sorumluluk alıp kolları sıvayarak sahaya inmez ve etkin bir biçimde yer almazsa çocuğunun hayatında ve eşler arasındaki ilişkide bir şey hep eksik kalır.

Sorumluluğun adil paylaşımını engelleyen kültürel kalıpların farkında mısınız? Birçok yörede babanın sorumluluğu evin geçimini yüklenmesi şeklinde anlaşılır. Halbuki baba çocuğunun eğitiminden ve yetiştirilmesinden de sorumlu olmalıdır. Geleneksel ailelerde babanın *korkulan kişi* olması beklenir. Anne, "Akşam gelince babanıza söyleyeceğim," deyince, çocukların hemen hizaya gireceği umulur. Bu ailelerde babanın korkulacak, çekinilecek biri olarak kalması önemsenir. Bu hastalıklı bir tavırdır; umarım bu kitabın okunduğu hiçbir evde hiçbir kadın ve erkek böyle bir anlayış içinde değildir.

Sağlıklı ailenin en temel özelliği anne ve babanın doğumdan itibaren aktif olarak çocukların hayatında yer almasıdır. Doğumundan itibaren çocukla kurulan ilişki başka hiçbir zaman ve hiçbir şekilde kurulamaz. Genellikle birçok toplumda baba bu dönemde geri durur ya da geri itilir. Ne var ki, hem çocuk için hem de baba için yaşamın en anlamlı zenginliklerinden biri baba çocuk ilişkisidir.

Çocuğun altını değiştirmek de dahil, baba aktif olarak işin içinde olduğu zaman çocuğun yetişmesinde önemli farklar oluşmaktadır. Bu konuda yapılmış araştırmaların sonuçlarından görülüyor ki, bebeklikten itibaren kolları sıvayıp babalık yapanların "babaya doymuş" çocukları, daha girişimci, daha güvenli, yabancılarla ilişkilerinde daha başarılı oluyorlar. Baba etkileşimiyle büyümüş çocuklar zorlukları görünce kaçmıyorlar, üzerine gidiyorlar. Geleceğe umutla bakıyorlar ve yaptıkları işlerde daha sebatlı oluyorlar. [9]

Bana öyle geliyor ki, baba çocuk ilişkisinin olumlu katkısından iki temel etken yer alıyor: 1) Çocuk, yaşamla ilişkisinde annenin dışında ikinci bir rol modeli görüyor; 2) Sadece anneyle sınırlı kalmayan daha zengin bir etkileşim ortamı bulduğundan beyni daha fazla gelişiyor.

Bazı anneler doğumdan sonra çocuğu o kadar koruyucu bir tavır içinde sahiplenir ki, babanın çocuğa yaklaşmasına, dokunmasına, kucaklamasına izin vermez. İzin verirmiş gibi yapsa da duruşundan, gözlerinden kaygı, korku, güvensizlik akar. Baba dışarıda kalması gerektiğini hisseder. Bazı babalar, canıma minnet, deyip çocuktan uzakta kalır, hiçbir sorumluluk almazlar. Böyle babalar zamanla sadece çocuktan değil, farkına varmadan aileden de soğur, çünkü kendilerini dışlanmış, anlamsız hissederler.

Böyle bir dönemde bir başka kadın, özünü keşfedememiş bu erkeğe, "Sen ne yakışıklı, ne heyecan verici, ne çekici erkeksin!" diye yaklaşırsa, "baba olmasına fırsat verilmemiş, kendisini aileden dışlanmış hisseden" adama bu davet anlamlı ve heyecanlı gelebilir. Gittikçe aileden kopar.

Doğumdan sonra dışlanmış erkeklerin bazıları evlilik dışı ilişkiler kurduğu gibi, bazıları da kendini tümüyle işe verir. Böylece ailenin geçimini sağlayan "iyi baba" olmaya çalışmaktadırlar.

Bilinçli baba, eşinin tavrı ne olursa olsun, emzirme dışında her işte bebeğinin hayatında yer almakta, görev almakta ısrarcı olur. Babanın bu ısrarlı tavrı çocuğuna verebileceği en büyük armağandır. Çocuğunun babalı ve sağlıklı büyümesini sağlar.

Peki, aşırı koruyucu anne, daha mutlu mudur? Uzun vadede değil. Aşırı koruyucu anne, tüm işi kendi üstüne aldığından enerjisi tükenir, yorulur; kendinden başka kimseye güvenemediği için tuzağa düşürülmüş biri gibi kaygılı, gergin ve öfkeli hale gelir. Çocukluğunu böyle bir anneyle yaşamak talihsizliğine uğramış biri tam gelişemez. O da aynı annesi gibi kaygılı, gergin ve öfkeli bir hayat yolculuğuna başlar.

* * *

Anne Baba Çocuğunun Arkadaşı ve Dengi Değildir

Anne-baba çocuk ilişkisinden söz açılmışken şunun da altını çizmek isterim: Anne ve baba çocuğunun arkadaşı ve dengi değildir; onlar anne ve babadır.

Bu ne demek oluyor, biraz açalım.

Anne ve baba, deneyimleri ve pozisyonları gereği çocuklar reşit yaşa gelinceye kadar onların yaşamları üzerinde otorite olma, bilme ve yönetme durumundadırlar. Çocuğun arkadaşı ve dengi olmaya çalışırlarsa yol gösterici olamazlar. Çocuğunun arkadaşı, dengi olmaya çalışan anne-babaların çocukları kazançlı değil, kayıpta olurlar.

Çocuğumuzla İlişki Kurarken Nelerin Farkında Olmalıyız?

Hepimizin içinde güzel söz ve gülümseme bekleyen bir çocuk var.

Bir seminerime katılan grubun en üst düzey yetkilisi, doksan dakika boyunca beni ekşi bir suratla dinlemişti. Verilen kahve molasında iki dakika salonda kalmasını rica ettim; teklifimi kabul etti. Herkes salondan dışarı çıktı, o kaldı. Kapıları kapattım ve beyefendinin karşısına geçtim. Aramızda şöyle bir konuşma geçti:

Ben: Beni kırmadığınız için teşekkür ederim. Şimdi sizden ricam, bana bakarak, yüzüme küfretmeniz!

Üst düzey yönetici (ÜDY): Öyle şey olur mu? Küfretmem.

Ben: Rica ediyorum.

ÜDY: Olur mu efendim! Olmaz!

Ben: O zaman yüzüme bakarak, "Doğan Cüceloğlu, Allah senin belanı versin!" der misiniz, lütfen!

ÜDY: Ne münasebet! Demem!

Ben: Beyefendi, doksan dakika boyunca yüzünüzle küfrettiniz; şimdi dilinizle küfretmenizi istiyorum!

ÜDY: (Şaşkınlıkla bir süre yüzüme baktı; sonra yüzüne yayılan hafif bir gülümsemeyle) "Benim oğlan da bundan şikâyetçi," dedi. "Baba çok asık suratlısın," der.

Değerli okurlarım, anlayacağınız gibi üst düzey makam sahibi bu insan kötü biri değil, ama iletişim bilinci gelişememiş bir yönetici. Ve kitabın girişinde de belirttiğim gibi, bizim toplumda iyi niyetli ama yüzü asık bu insanlardan fazlasıyla var.

İletişim bilinci gelişmiş insan şunu bilir: İki insan birbirinin farkına vardığı andan itibaren beden duruşu, yüz ifadeleri, el kol hareketleri, sesin tonu, söylenilen veya söylenilmeyen her kelime, aradaki mesafe, dokunma veya dokunmama gibi pek çok şeyin bir mesaj değeri vardır.

Her an iletişim içinde olduğunun farkında olmayan insan, ilişki bilinci yönünden gelişmemiş bir insandır; "mış gibi yetişkin"dir. İnsanın bedenen gelişmiş olması onun olgun olduğunu anlamına gelmez. Yaşamın dokusu ilişkilerle örülür; iletişim ve ilişki içinde olduğunun farkında olmayan insan, bedenen gelişmiş olabilir, ama akıl ve ruh olarak olgunlaşamamıştır.

Bebek iç güdüsel olarak iletişim içinde olduğunu hissetmektedir; annenin ve babanın da bebekle iletişim içinde olduğunu bilmeleri önemlidir, hem de çok.

Daha önce belirttiğimiz gibi insanın toplumsal ve bireysel iki doğası vardır. İletişim, insanın bu her iki doğasıyla ayrı ayrı veya aynı zamanda olabilir. Bir anne çocuğuna, "Kızım, bana bir bardak su ver," dediğinde anne kız arasındaki toplumsal ilişki yüz ön plandadır. Aynı anne, "Hatice, bana bir bardak su verir misin," dediği zaman ise "Hatice"nin bir birey oluşu can ön plandadır. Sadece "kızım/oğlum" denilen bir ailede çocuk ait olma duygusu baskın yetişirken, kendi adıyla hitap edilen bir ailede birey olma duygusu da gelişecektir.

İlişki

Selam veren sadece selam verdiğini değil,
insanlığı değerli kılıyor.

İnsanlar sık sık aynı sosyal ortamlarda bulunuyorlarsa o zaman iletişimin ötesinde bir süreç başlar; aralarında bir ilişki oluşur. Karı-koca, anne-baba-çocuk aynı ailede bir ilişki içindedirler. Sık sık birbirini gören, aynı ortamları paylaşan insanlar, aynı zamanda birbirinin tanıdığı, tanığı olmaya başlarlar. Mahalleli olma, komşu olma, arkadaş olmakla başlayıp aynı ailede yer almaya kadar giden bir yakınlık derecesi ölçeği üzerinde yer alabilecek bir tanıklık ilişkisinden söz edebiliriz.

Tanıdıklar arasında yer alan ilişkinin, "ilişki boyutları" ya da "tanıklık boyutları" olarak adlandırdığımız altı boyutunu, çocuğun özünde nasıl biri olduğunu sorguladığımız birinci bölümde görmüştük. Çocuğun sağlıklı yetişmesi için anne-baba ve çocuk arasında yer alan ilişkide tanıklık boyutlarının sağlıklı çalışması gerekir. Aynı şekilde, karı-koca ilişkisinin sağlıklı gelişmesi ve devam etmesi için de, eşler arasında tanıklık boyutlarının sağlıklı çalışması gerekir. Anne ve babanın kendi aralarında ve çocuklarıyla ilişkilerinde bu altı tanıklık boyutunun nasıl işlediğini bilmeleri çok önemlidir.

İlişkinin Altı Tanıklık Boyutu

İki insan birbirinin tanıdığı olarak sık sık birbirleriyle konuşup sohbet ederken, ilişkinin aşağıdaki altı tanıklık boyutu sürekli çalışır:

1. Önemsenmek, umursanmak
2. Olduğu gibi kabul edilmek, ötekileştirilmemek
3. Tek ve biricik olarak görülüp değer verilmek
4. Aklına, yapabileceğine ve niyetine güvenilmek
5. Gelişmesi için emek ve zaman verilmeye, sevilmeye değer bulunmak
6. Gruba ait olarak kabul edilmek ve aynı zamanda farklı bireyselliğine saygı duyulmak

Bu tanıklık boyutlarını ilişki devam ederken o an hislerimizle takip eder, ilişkideki tanıklık boyutlarının nasıl çalıştığını değerlendiririz. Anne ve babalar, çocukların hayatında ne kadar güçlü tanıklar olduğunu bilmezler ve bilinçli tanıklar olmazlarsa çocuklar sağlıklı bireyler olarak büyüyemez.

Denize şişme yelekle giren çocuk babasının elinden tutarak derinlere ilerleyince heyecanla kıyıdaki annesine seslendi, "Anne ayağım yere değmiyor!" Anne sahilden gülümsedi, parmağıyla zafer işareti yaptı. (Çocuk önemli, başarısı kabul edilmiş, değerli, güvenilir, sevilmeye ve saygıya layık biri olduğunu anlamıştır.)

Boğazdan geçen gemiyi gören oğlan çocuğu müthiş heyecanlanmıştı ve babasına bağırarak, "Büyük gemi geçiyor!" dedi. Baba arkadaşlarıyla konuşuyordu, gemiye bakmadı, kendisine seslendiği için çocuğu tersledi. Çocuk annesine döndü, yine bağırarak, "Büyük gemi geçiyor!" dedi. Anne gemiye bakmadı; "Hı hı" diyerek geçiştirdi. Çocuk annesi ve babası arasında üç kez gitti geldi. Son defasında baba onu azarladı, "Kapa çeneni!" diye bağırdı. Çocuk o zaman babasının öfkesinin farkına vardı ve herkesin önünde azarlandığı için utandı. Sustu; mahzun oldu. Gruptan buna yüreği elvermeyen bir kadın, "Hakan, büyük gemi geçiyor, değil mi tatlım!" dedi. Hakan, kafası önde, mahzun, sessizce, zor duyulan bir sesle, "Evet," dedi. (Seslenen kadın Hakan için önemli bir tanık değildi. En güçlü tanık babasıydı ve küçük Hakan önemsiz, değersiz, heyecanlanmasından dolayı ötekileştirilmiş, değersiz, güvenilmeyecek, sevgi ve saygıya layık birisi olmadığı hissettirilip utandırılmıştır.)

Deftere bir yuvarlak çizip, içine iki nokta koyan dört yaşındaki kız, "Anne bak, ne çizdim," dedi. Anne telefondan başını kaldırmadan, "Hı, hı, aferin sana," diye cevap verdi. Çocuk ağlamaklı bir sesle, "Ama anne, bakmadın ki," dedi. Anne, yüzünde "öff be düş yakamdan" yüz ifadesiyle çocuğuna baktı. (Çocuk önemsiz, dışlanmış, değersiz, güvenilmeyecek, sevgi ve saygıya layık biri olmadığını hissetmiş, yaratıcı olmaktan, paylaşmaktan soğumaya başlamıştır.)

Bu etkileşimler her gün oluyor. Ve her gün çocuklar ruhen ya daha sağlıklı ya da sağlıksız hale geliyor.

Ben zengin ve fakir aile ortamlarını tanımlarını şöyle yaparım: Bana göre, anne ve babanın ilişkisinde bilinçli tanıklık yaptığı aile *zengindir*; tanıklık bilincinin gelişmediği anne ve babanın ailesi ise *fakirdir*. Anne-babanın sahip olduğu okul diploması, mesleklerinin türü, oturdukları semt, evlerinin, büyüklüğü ve içinin nasıl döşendiği, arabalarının fiyatı ne olursa olsun, tanıklık bilinci gelişmemiş bir aile gerçek anlamda fakirdir. Ve böyle bir ailede ruhen zengin insan yetişmesi zordur.

Bilinçli tanıklık yapılan bir aile ortamında büyüyen çocuk zamanla kendi iç tanıklığını keşfeder. Bu aşamada, ilişki içinde olduğu diğer kimselerin dış tanıklığından daha çok, kendi içindeki tanığı temsil eden vicdanı yavaş yavaş önem kazanmaya başlar. Olgunlaşamayan bir kişi, başkalarının gözüne girmek amacıyla, onlar için değerli olan, doğru olan şeyleri söylemeye ve yapmaya yönelip buna ömür boyu devam edebilir. Gelişip olgunlaşan bir kişi ise şunu anlar: Hayatımın anlamını ben veriyorum ve hayatımın anlamının temelinde de benim iç tanığımın, vicdanımın değerli ve doğru bulduğu şeyleri söylemem ve yapmam yatıyor. Bu aşamaya gelmiş bir insan artık bir kişilik geliştirmiş, şahsiyet olmuştur. Böyle bir insanı herhangi bir menfaat karşılığında satın almak zordur. Zordur çünkü içindeki tanık, vicdan şunu belirgin olarak hisseder: Ben kendi gözümde "dürüst ve saygın bir insan" değilsem, sahip olduğum hiçbir şey bir anlam ifade etmez. Saygın varoluşunu kaybeden insan sahip olduklarıyla hayatına anlam katamaz.

Bu yüzden, anne-babaların iletişim konusunda şu iki konuya özen göstermesi gerekir:

- Ailemde hangi değerlerle çocuklarıma tanıklık yapıyorum?
- Çocuğumun kendi iç tanığını –vicdanını– keşfetmesine, güçlendirmesine önem verip, nasıl yardımcı oluyorum?

Sırası gelmişken söylemeden geçemeyeceğim; ailede yaşayan değerler ve çocuğun iç tanıklığının gelişmesi konularına önem veren anneler ve babalar olmadan demokratik uygar bir toplumun temellerinin oluşması mümkün değildir. Uygar toplum kanun değişikliğiyle, silah zoruyla değil, her bir anne-babanın bilinçli gayretiyle zaman içinde inşa edilir.

Korku-Kaygı Kültüründe İlişki

Korku-kaygı kültüründe çocuk utandırılarak terbiye edilir. Bu kültür içinde oluşan ailelerde korkutan güçlü otoriteler vardır, bir de bu otoritelerden korkması gereken güçsüz kişiler. Korku-kaygı kültüründe insanın değeri gücüyle ölçülür. Güçlü kişi saygındır. Güçlü kişi ilişki içinde hep "ben" der ve diğerinin "siz bilirsiniz" demesini bekler.

"Ben-sen" anlayışı içinde oluşan karı-koca ilişkisinde, ilişkinin tanıklık boyutları şöyle işler:

İLİŞKİNİN TANIKLIK BOYUTU	GÜÇLÜ, KORKULAN, BEN BİLİNCİNDEKİ EŞ	GÜÇSÜZ, KORKAN, SEN BİLİNCİNDEKİ EŞ
1. Önemsenmek, umursanmak	Ben önemliyim, senin önemli olup olmadığına ben karar veririm.	Evet efendim, siz önemlisiniz, benim önemli olup olmadığıma siz karar verirsiniz.
2. Olduğu gibi kabul edilmek, ötekileştirilmemek	Sende bir bozukluk var mı, yok mu ben bilirim. Bana sormadan kendin hakkında karar verme.	Bende bir bozukluk var mı, yok mu siz bilirsiniz. Size sormadan kendim hakkında karar veremem.
3. Tek ve biricik olarak görülüp değer verilmek	Değerli misin, değil misin, ben bilir, ben karar veririm. Sen kendin karar veremezsin.	Değerli miyim, değil miyim, siz bilir, siz karar verirsiniz. Ben kendim karar veremem.
4. Aklına, yapabileceğine ve niyetine güvenilmek	Aklına, yeteneğine güvenmem. Bana sormadan bir şey yapma.	Benim aklıma, yeteneğime güvenilmez. Size sormadan bir şey yapmam, efendim.
5. Gelişmesi için emek ve zaman verilmeye, sevilmeye değer bulunmak	Ben emek verilmeye, sevilmeye değerim; sen emek ve zaman vermeye, sevmeye değmezsin.	Ben emek ve zaman verilmeye, sevilmeye değmem.
6- Gruba ait kabul edilip aynı zamanda bireyselliğine saygı duyulmak	Sen benim malımsın, bana aitsin.	Evet, efendim, ben size aitim.

Bu ailelerde güçlü olan taraf, gücünü pekiştirmek için güçsüz olanı her bulduğu fırsatta ezer. Korku-kaygı kültüründe önemli olan güç olduğu için güçsüzü ezmek güçlünün en doğal hakkıdır. Böylece güçlü eş güçsüz eşi, güçsüz eş de çocuğu ezer.

Korku-kaygı kültürünün terbiye anlayışı güçlünün güçsüzü utandırmasına dayanır. Korku-kaygı kültüründe "zeki" ve "başarılı" görülmenin kıstası, güçlünün gözüne girebilmeyi başarmaktır.

Saygı-Güven Kültüründe İlişki

Saygı-güven kültüründe çocuk yüreklendirilerek terbiye edilir. Saygı-güven kültürü içinde oluşan ailede, ailenin temeli ailede yaşayan değerler, erdemlerdir. İster yeni doğmuş çocuk, ister ülkenin cumhurbaşkanı olsun, ailenin her bireyi onur ve değer yönünden eşit görülür.

Ekibin lideri, otoritesini sağlamak için deneyimini, bilgisini ve yeteneğini kullanır. Liderin sorumluluğu, ailenin değerlerini yaşatarak gelecek nesle aktarmaktır. Liderin gücünün kaynağı korku değil, erdemleri yaşaması ve yaşatmasıdır.

Saygı-güven kültüründe güçlü kişi yaşam ekibini hiç aklından çıkarmaz, sürekli "biz" der. İlişki içinde olduğu diğerlerinin de "biz" demesini bekler. Kadın olsun erkek olsun diğeri mutlu olmadan kendinin mutluluğunun uzun sürmeyeceğini bilir. Eşinin mutlu olmasını, kendi mutluluğunun teminatı olarak görür.

"Biz" anlayışında oluşan karı-koca ilişkisinde, ilişkinin tanıklık boyutları şöyle işler:

İLİŞKİNİN TANIKLIK BOYUTU	BİZ BİLİNCİNDEKİ EŞLER
1. Önemsenmek, umursanmak	Ben önemliyim, sen de benim gibi önemlisin. Eşitiz.
2. Olduğu gibi kabul edilmek, ötekileştirilmemek	Hiçbir insan mükemmel değildir. Ben mükemmel değilim; sen mükemmel değilsin. Seni olduğun gibi kabul ediyorum. Sen, sen olduğun için özelsin.
3. Tek ve biricik olarak görülüp değer verilmek	Ben evrende eşi benzeri bulunmaz biriyim; ne geçmişte, ne şimdi, ne de gelecekte benim gibi bir tane daha yok ve olmayacak. Sen de, aynen benim gibi, evrende eşi benzeri bulunmaz birisin.
4. Aklına, yapabileceğine ve niyetine güvenilmek	Kendi aklıma, yeteneğime ve niyetime güvendiğim kadar senin de aklına, yeteneğine ve niyetine güvenim tam. Ben yapabilirim, birlikte daha iyisini yapabiliriz.
5. Gelişmesi için emek ve zaman verilmeye, sevilmeye değer bulunmak	Ben emek ve zaman verilmeye, gelişmem için sevilmeye değer biriyim. Sen de emek ve zaman verilmeye, gelişmen için sevilmeye değer birisin.
6. Gruba ait olarak kabul edilmek ve aynı zamanda bireyselliğine saygı duyulmak	Ben hem kendime aitim, hem de sana, çocuklarıma, topluma ve yaşama aitim. Herkes kendisi olmaktan ve diğerlerinin kendisi olmasından sorumlu.

Bu ailelerde kız, erkek, akraba ya da başka bir sosyal etiket değil "insan olmak" önemli olduğu için her fırsatta "hakkaniyet" yani "doğru olan" seçilir. Güçlünün güçsüzü ezmesi ailede, şirkette, toplumda, uluslararası ilişkilerde sorun çözmez, aksine sorun yaratır. Adil olan hakkın yerini bulmasıdır. Böylece güçlü eş diğerini, o da çocuğu ezemez. "Can"ın büyüğü, küçüğü yoktur; ister çocuk, ister büyük, ister kız, ister erkek olsun her cana hakkaniyetli davranmak gerekir. Doğrusu budur.

Korku-kaygı kültürünün terbiye anlayışı "utandırmaya" dayanır demiştik; saygı-güven kültürünün terbiye anlayışı ise "yüreklendirmeye" dayanır. Korku-kaygı kültüründe güçlünün gözüne nasıl gireceğini öğrenmek ve bunun için çabalamak büyük marifettir. Saygı-güven kültüründe ise hakikati keşfetmek için çabalamak, her gün yapabileceğinin en iyisini yaparak "doğruya hizmet etmek" marifettir. Korku-kaygı kültüründe çocuklar, asık suratlı sevgisiz büyüklerinden bir aferin alabilmek için onların gözlerinin içine bakarak büyürler. Saygıgüven kültüründe ise çocukları, kendi iç tanıklığında hakkaniyete saygı duyan, onurlu biri olarak büyürler; onlar için en büyük otorite anne veya baba değil, kendi vicdanlarıdır.

Çocuklarımız Hakkında Konuşurken

Çocuklarımızla doğrudan konuşurken bilinçli olmamız gerektiği gibi, çocuklarımız hakkında bir başkasıyla konuşurken de dikkatli olmalıyız. Farkına varmadan yaptığımız yanlışlar olabilir. Bunlardan biri etiketlemedir.

Çocuğuyla beni dinlemeye gelmiş anne ve babaların seminerlerden sonra, çocuğun yanında bana şöyle sorular yönelttikleri olmuştur; "Doğan hocam bu çok tembel/yaramaz/ sorumsuz/aklı bir karış havada/söz dinlemez! Abisi/ablası hiç böyle değildi. Ne yapacağız?" Çocuk da orada korku içinde ve en önemlisi utanarak, ezilerek benim gözümün içine bakar. Yüreğim cız eder. Çocukla göz göze gelirim, gülümserim, elini sıkarım, "Ne güzel gözlerin var," derim. Gözleri ışıldayan çocuğa, "Gözlerin ışıldadı, kim ne derse desin, sakın bu ışıltıyı kaybetme," derim. Onun bir etiket değil, bir can olduğunu, anlaşılması ve doğru, geliştirici tanıklık yapılması gereken muhteşem bir potansiyel olduğunu, anlatmaya çalışırım.

Etiketleme, bir başkasıyla kıyaslama çocuğun gelişimini engeller. Biz anne-baba olarak çocuğun kendini geliştirmesine yardımcı olmalıyız.

Biliyorum çocuğunuz sizin için önemli, onun için gözünüzü kırpmadan hayatınızı tehlikeye atarsınız. Çocuğunuz için her türlü fedakârlığı yapmaya hazırsınız. Şunu bilmenizi istiyorum: Kendinizi geliştirmezseniz çocuğunuzu da geliştiremezsiniz. Önceliğiniz kendinizi keşfetme ve geliştirme olmalıdır. Çocuğunuzun hayatındaki en güçlü rol model, en güçlü tanıksınız. Güçlü bir tanık olarak siz çocuğunuza inanırsanız çocuğunuz kendisine inanır, çocuğunuz kendisine inanırsa zaman içinde herkes çocuğunuza inanır.

Çocuklar Kime Ait?

Çocuklar doğduğu zaman onlara isim verme hakkına sahibiz ama bunun ötesinde hak talep edemeyiz. Çocuklar ailemizin bir üyesi; ama bize ait değiller. Korku-kaygı kültürü ailesi çocukların kendine ait olduğunu sanır ve onları utanca boğarak yetiştirir. Sağlıklı aile bunu yapmaz. Sağlıklı ailede çocuğun kendine özgü bir mahremiyetinin bulunması gerektiği kabul edilir ve çocuk geliştikçe bu alanın sınırları gelişir. Bu, çocuğun özel alanıdır ve çocuk bu alanın tek hâkimidir. Ondan izin almadan bu alana giremezsiniz. Çocuğunun kendine saygılı olan bir kişi olarak büyümesini isteyen her anne ve babanın bunu hiç unutmaması gerek.

Her insanın özel bir alana ihtiyacı vardır; kendi tanıklığından başka hiçbir tanıklığın olmadığı bu alan içinde hiç kimseye hesap vermeden kendisi olabilir, hata yapmaktan, gülünç duruma düşmekten kaygı duymaz. Bu alan içinde kendisini sadece kendisi görür, hayalinde zihinsel keşifler yapabilir, kendisini değişik duygular içinde düşünebilir. Bu alandaki duygu ve düşüncelerini kimse fark etmeden gözlemleyebilir ve gözlemlerinden öğrenebilir.

Belki bir kitap okurken, belki hayale dalarken, belki birini dinlerken çocuk bu mahrem alanı yaratabilir ve yaşayabilir. Çocuğumuzun böyle bir mahremiyet içinde kendini, ilişkilerini, yaşamı ve evreni keşfetme yolculuğuna çıkabileceğini korkmadan, kaygılanmadan ve utanmadan kabul edelim. Bu mahrem alan hepimizde var. Hepimiz farkına varmadan bu mahrem alanı korur, girilmesini istemeyiz.

Çocuk iki yaşında bu mahrem alanını sezinlemeye başlayınca "hayır" demeye başlar. Bu yaşta "hayır" onun en sık kullandığı favori kelime haline dönüşür. Mahrem alanında her şeyi kontrol edebileceğini, istediği gibi hayal edip gezebileceğini hissettiği için buraya girilmesini istemez. Özel alanının sınırları "HAYIR" bayrağıyla belirlenmiştir. Çocuğun hem duygusal hem de zihinsel gelişimi için bu sınırlara ihtiyacı vardır.

Sınırları ve sorumluluğu öğrenmek isteyen çocuğa belirli özgürlükler ve sorumluluklar verilmelidir. Kendi hatalarını yapacakları, yeniden deneyecekleri, yeniden hata yapacakları, yeniden tekrarlayarak deneyecekleri bir özgürlüğe sahip olmayan çocuklar olgunlaşamazlar. Bu özgürlükler bedenlerinin, duygularının ve düşüncelerinin sınırlarını belirler.

Bunlar: 1) Şimdi ve burada olanı duyma ve görme –algılama– özgürlüğü; 2) Kendi düşündüğünü olduğu gibi ifade edebilme özgürlüğü; 3) Kendi duygularını olduğu gibi ifade edebilme özgürlüğü; 4) Kendi arzularına göre bir şeyi isteme ya da reddetme özgürlüğü; 5) Olmak istediği yönde gelişerek kendi özünü gerçekleştirme özgürlüğüdür. [10] Kendine özgü özgürlük alanı bulamayan çocuk iki türlü tepki verir; ya hiç kimseye alan bırakmayacak şekilde saldırgan, isyankâr biri olarak yetişir, ya da kendi varoluşunu herkesin çiğneyebileceği sessiz ezik biri olarak yaşar. İşte sözünü ettiğim "ben bilinci" ve "sen bilinci" böyle bir geçmişe sahiptir. Bir bankanın şube müdürlerine verdiğim seminer sırasında, seminere katılan şube müdürü bir baba, mahcup bir edayla on gün önce oğluyla arasındaki bir etkileşimi anlattı: "İki hafta süreyle yurtdışına gitmiştim. Ben yurtdışına gitmeden önce, oğlumun bilgisayar başında çok zaman harcadığını düşünerek eşimle birlikte karar almış, salondaki bilgisayarı bir dolaba koymuştuk. Oğlum on altı yaşında olmasına rağmen ona söz hakkı tanımamıştık. Yurda döndüğüm gün hanım, 'Hakan (ismi uyduruyorum) bilgisayarı koyduğumuz dolaptan çıkardı ve odasına koydu!' diyerek âdeta suç duyurusunda bulundu. Hakan'ın odası kapalıydı. Onun içeride olduğunu bildiğim halde kapıyı vurmadan hışımla içeri daldım. Hakan'ı bilgisayarın başında bulacağımı sanmıştım. Oysa o, yatağının üstüne bağdaş kurmuş ders çalışıyordu. İçeri girdim ve, 'Ne yapıyorsun?' dedim. Biraz şaşkın, beni görmekten memnun, ama pat diye odasına girmemden rahatsız toparlandı. 'Hoş geldin, baba. Ders çalışıyordum,' dedi. Sustu ve, 'Baba, odama girmeden önce lütfen kapıma vurur musun!' dedi. Ben, yaptığım hatayı anlamıştım; ama, kuyruğu dik tutmak için, 'Aile içinde odanın kapısı kapanmaz' diyerek konuyu kapadım. Ama, şimdi bu seminerde görüyorum ki, ben yanlış yapmışım!" [11]

Ait olma birey olma dengesi insan yaşamının en önemli dinamiklerinden birini oluşturur.

Hem Can Hem Yüz

Bilinçli anne babalar
demokrasinin gerçek mimarlarıdır.

Akıllı anne-baba çocuğunun hem toplumsal hem de bireysel yönünü geliştirmeye dikkat eder. Her etkileşimde çocuğa iki mesaj birden verilmelidir; biri kendi bireysel varoluşuyla ilgili, diğeri ilişkide olduğu diğer insanla ilgili. "Hatice kızım bana bir bardak su getir, lütfen," hem ilişkiyi hem de çocuğun bireyselliğini belirtir. Böylece çocuk zaman içinde diğer insanların da kendisi gibi önemli, değerli, güvenilir, sevgi ve saygıya değer insanlar olduğunu öğrenir. İşte *biz* bilincinin temeli budur.

Toplum içinde yaşamaya hazırlanan çocuk sadece kendinin değil, aynı zamanda diğerlerinin de özel alanları olduğunu anlamaya başlar. Yaşamın bir ekip işi olduğunu yavaş yavaş öğrenir. Anne-baba, aile hayatında her bir çocuğa görevler verir; biri masayı hazırlar, öbürü yemekten sonra masayı toparlar veya çöpleri atar, hepsi odalarını toparlar ve ev ödevlerini yaparlar. Böyle bir iş bölümü içinde yer alan çocuk, biz bilinci içinde ailenin değerlerini yaşar ve yaşatır.

Herkesin sorumluluğu vardır; üç yaşından itibaren, çocuk rahat konuşabilecek duruma geldiğinde, sohbet ilişkisi içinde onun da yapacağı işler ve sorumluluklar anlatılır ve takip edilir. Değerleri temel alan demokratik bir aile yaşamı böyle kurulur. Yeniden söylemeden edemeyeceğim, ailede demokrasi olmayan bir ülkede demokrasinin yaşaması ve gelişmesi mümkün değildir.

Çocuklar büyüdükçe kendi özel alanları büyür. Çocuklar, büyüyen alanda söz sahibi olmak, kendi özel alanlarını yönetmek isterler. Çocuk çantasının karıştırılmasını istemiyorsa, hiç kimse izin istemeden onun çantasını açmamalıdır.

Sohbet İçinde Olmak

Kendini terbiye edemeyen,
çocuğunu terbiye edemez.

Aç olduğunuzu, susuz olduğunuzu, yorgun ya da dinlenmiş olduğunuzu hissettiğiniz gibi, bir ilişki içinde ne kadar var olduğunuzu da, hissedersiniz. Bir sosyal ortamda ilişki boyutları olumlu ise ilişki besleyici olur kendinizi önemli, kabul edilmiş, değerli, güvenilir, sevgi ve saygıya layık hissedersiniz. Çocuklar bir ilişki içinde ne kadar kendileri olarak var olabildiklerini hisseder. Azarlanan, aşağılanan, alay edilen, utandırılan çocuk kendisi olarak gelişemez; kendini sevmeyi öğrenemez. Hatalarıyla olduğu gibi kabul edilen çocuk kendini olduğu gibi kabul etmeyi öğrenir. Kendisi olmaktan utanmaz; aksine kendisi olmaktan haz duyar.

Korku-kaygı kültüründe aileler utandırarak, saygı-güven kültüründe yüreklendirerek terbiye ederler. Bu yüreklendirme işi, çocukla sohbet etmekle olur. Bu bölümde sohbet nedir, niçin sohbet edilir, nasıl sohbet edilir, sohbetin önünde ne gibi engeller vardır, çocuğuyla sohbet ederken anne ve babaların nelere dikkat etmesi gerektiği üzerinde konuşacağız.

Etkileşimde Dikkat Edilmesi Gerekenler

Çocuğunuzla göz göze gelip etkileşim kurmaya başladığınız zaman farkında olmanız gereken en önemli şey şudur: Siz sadece çocuğunuzla değil, aynı zamanda kendinizle de ilişki içindesiniz. Çocuk bunu sezgileriyle bilir. Kendinize saygılı, güvenen, dürüst, bilinçli, tutarlı bir anne-baba iseniz, çocuğunuz bu modeli örnek alacaktır. Sizin "ne olduğunuz" yani varoluşunuz, "ne söylediğiniz"den daha etkilidir. Çocuğuyla sohbet içinde olan anne-babanın bir gözü çocuğunda bir gözü kendi üstünde olmalıdır.

Nurdoğan Arkış, *Mümkün*[12] adlı kitabında bu tavra "şaşı bakmak" diyor. "Lider, her düşünce ve davranışında sadece şimdiyi değil, aynı zamanda geleceği de etkilemektedir; lider, bir gözü şimdiye bakarken, diğer gözü geleceğe bakan kişi olmalıdır," diyor. Böylece lider sadece "şimdi kimim" ile ilgilenmez, bir gözü "kimim" üzerindeyken, diğer gözü "gelecekte kim oluyorum"un üstündedir.

Çocuğunuzla konuşurken, ya da onu dinlerken, yani onunla sohbet içindeyken üzerinde durulacak en önemli konu nedir biliyor musunuz? *Kaygı, umutsuzluk ve öfke içinde tepkisel biri* değil, *güven, umut, huzur ve anlayış içinde biri* olmaktır. Farkındayım; söylemesi kolay, yapması zor!

Niçin zor?

Çünkü sizi yetiştirenler böyle sakin ve huzurlu kişiler olmayabilir. Onlar korku-kaygı kültürü içinde utandırılarak yetiştirilmiş olabilirler ve kendi bildikleri kültür kalıpları içinde kendi çocuklarını da korkutarak, utandırarak yetiştirmeyi seçebilirler. Kendinizi geliştirmeden, içinize yerleşen kültürel kalıpların farkına varmanız zordur.

Çocuğumuzla etkileşim kurarken etki alanımızın farkında mıyız? Çocuğumuzla konuşurken zaman ve emeğimizin ne kadarını etki alanımız içinde olan yapabileceklerimize ayırıyoruz ve ne kadarını etki alanımız dışında, ilgilendiğimiz ama yapamayacağımız şeyleri konuşmaya ayırıyoruz? Bu üzerinde durulması gereken önemli bir tavırdır.

Diyelim ki, çocuğumuz görme engelli ve onunla sohbet halindeyiz. Çocuğun gözleri görmüyorsa yapabileceğiniz bir şey yoktur. Onun körlüğü için dünyayı suçladığınız sürece enerjinizi dünyadan nefret etmek ve kendinize acımak için harcarsınız. Etki alanınız dışında kalıp, ahlayıp vahlayarak hem kendi zaman ve enerjinizi hem de çocuğun hayatını çöplüğe atmış olursunuz.

Etki alanınız içinde kalırsanız kör çocuğunuzun okuyup yazan, bilgisayar kullanan, meslek sahibi, yeteneğine bağlı olarak belki de bir sanatçı olarak yetişmesi için yön gösterebilirsiniz. Zaman ve emeğinizi etki alanınızın içinde kullanıp kullanmadığınızın bilincinde olmanız önemlidir, hem de çok.

Bana konuşmalarımdan sonra sık sık öyle sorular sorulur, öyle gözlemler yapılır ki, bunlar tek bireyin etki alanını aşar; çözümlere toplumca birlikte karar verilmesi gerekir. Günde üç dört saatini okey oynayama ayıran bir emekli öğretmen, "Bu milli eğitimin hali ne olacak Doğan Bey?" sorusunu yönelttiği zaman kendi etki alanını verimli kullanmayan biriyle muhatap olduğumu anlıyorum.

Sohbet İçinde Olmak Ne Demektir?

Evet, sohbet içinde olmak ne demektir? Sohbet nasihat etmek değildir. Sohbet konuşmak demek değildir. Sohbet tek başına dinlemek anlamına da gelmez. Sohbet etmek ilişkide bir tavır alıştır. Bu tavır alış içinde can cana ilişki ve paylaşım vardır. Sohbetin sonunda öğretme veya öğrenme olabilir, ama esas amaç paylaşımdır. Hani iki arkadaş birbirini gördüğü zaman, "Ne haber?" diye gülerek birbirleriyle konuşmaya başlarlar ya; işte orada sohbet vardır. Sohbet iki insanın yaşam deneyimlerini, günlük öykülerini, farkındalıklarını paylaştığı bir ilişki tarzıdır. *Sohbet içinde olmak demek, yaşam ekibinin bir üyesi olarak diğeriyle yaşamı paylaşıyor olmak demektir.*

İstanbul Florya'da bir okluda yaptığım konuşmada, ortaokul ikiden bir öğrenciyi sahnede karşıma aldım. Sınıf arkadaşları ve veliler salonda bizi seyrediyorlardı. Aramızda şöyle bir etkileşim oldu:

Ben: Bugün ayın kaçı?

Öğrenci: 24 Aralık 2008.

B: Kaç yaşındasın?

Ö: On iki.

B: Şimdi, lütfen gözlerini kapa. Beni iyi dinle. Sana gözlerini aç dediğim zaman aradan yirmi yıl geçmiş olacak, tarih 24 Aralık 2028 olacak. Beni anladın mı?

Ö: (Gözleri kapalı, başını "Evet," anlamında salladı.)

B: Tamam, teşekkür ederim. Şimdi gözlerini açabilirsin.

Ö: (Gözlerini açıp önce bana sonra da, salondaki anne ve babasına baktı.)

B: Bugünün tarihi?

Ö: 24 Aralık 2028.

B: Kaç yaşındasın?

Ö: (Biraz düşündükten sonra) Otuz iki yaşındayım.

B: Ne iş yapıyorsun, mesleğin ne?

Ö: (Yüzünde bir gülümsemeyle) İç mimarım.

(Öğrencinin annesi babası hayretle birbirlerine bakıp, gülümsediler. Çocukları kendilerinin bilmediği bir şey söylemekteydi. Daha önce bu konuda konuşmadıkları anlaşılıyordu.)

B: Evli misin?

Ö: Hayır değilim. Önce mesleğimde ilerleyeceğim, sonra evleneceğim.

B: Arkadaşlarından evlenenler var mı?

Ö: Kızların hepsi evlendi! (Salonda gülüşmeler.)

B: Nerede oturuyorsun; mesleğini nerede yapıyorsun?

Ö: New York'ta. (Anne-baba iyice şaşırmış, dikkatle dinlemekteydi.)

B: İşyerini ziyaret edebilir miyiz?

Ö: Tabii.

B: Hayali olarak işyerine yürümeye başladık. Yürürken anlatmaya başladı.

Ö: "New York'ta 88 katlı bir binanın 42. katında oturuyorum. Şimdi asansörden çıktık, kapıyı açıyorum. Burası dubleks. Alt katta mutfak ve oturma odası var. Üst katta banyo, yatak odası ve çalışma odası.

B: Salonda aile resmin var mı?

Ö: Tabii var. Bak bu resimde annem, babam, ablam, ağabeyim ve ben varım.

B: Bu resme baktığın zaman içinde neler hissediyorsun?

Ö: Onları özlediğimi hissediyorum. Bir de buruk anılar var.

B: Neden buruk?

Ö: Babam benimle yaz kampına gideceğini söylerdi, ama hiç imkân bulamadı. Kızmıyorum, anlıyorum, hep işi vardı, sürekli çalışırdı. Ama keşke gitmiş olsaydık. İçimde bir burukluk var.

Bakıyorum, anne dönmüş babaya bakıyor, baba yaşlanan gözlerini göstermemek için başını önüne eğmiş durumda.

İşte kısa bir sohbet örneği. Nasihat yok, yönlendirme yok. Bu öğrenci geçmişi ve geleceği olduğu gibi orada benimle paylaştı.

Ben bu çocuğun babası olsam iki şey yapardım: 1) Mutlaka verdiğim sözü tutar, ne yapar eder, birlikte bir yaz kampına giderdim. 2) En azından iki iç mimarla tanıştırır; onların ofisinde bir kaç hafta staj yapmasını sağlardım.

Anne-babanın çocuğuyla sohbet içinde olmasından kasıt, anne-babanın çocuğuyla o günü paylaşmasıdır. Annebaba az konuşur, çok dinler ve konuştuğu zaman yargılamaz. Sohbetin tek amacı, günlük yaşamları paylaşırken birbirlerinin dünyalarına tanıklık yapmaktır.

Sohbetin Niyeti

Sohbetin amacı paylaşmaktır, ama sohbetin sonucu olarak "kritik farkındalık" gelişir ve bu, anne ve babalar için önemlidir. *Bir şeyin olduğunu bilmek farkındalıktır, bir şeyin nasıl-ne kadar-niçin-nerede var olduğunu bilmek kritik farkındalıktır.*

Anne-baba çocuğunun *kritik yaşam farkındalıkları* geliştirmesini ister. "Çocuğuma kendisi hakkında ne öğretiyorum, başkaları ve onlarla ilişkileri hakkında ne öğretiyorum, dünya ve hayat hakkında ne öğretiyorum?" gibi sorular, her ebeveynin kafasını sürekli meşgul eder. Sohbet sırasında çocuk *anlamlı ve güçlü bir yaşam* için gerekli tüm bilgi ve becerileri kendiliğinden geliştirmeye başlar. Bu sohbetten anne ve baba da çok şey kazanır. Hiçbir kitabın veya seminerin size düşündürmeyeceği şeyleri çocuğunuzla yaptığınız sohbetler sırasında farkına varabilirsiniz.

Sohbet çocuğunuzla bir iletişim, bir ilişki kuruş tarzıdır. Sizin yaşamınızla çocuğun yaşamının kesiştiği bir andır. O anda geçmiş vardır, şimdi vardır, burası vardır ve potansiyel olarak gelecek vardır. Hayallerimizin farkında olmak önemlidir, çünkü hayallerimiz bizi geleceğe taşır. Hayallerimiz bizi sürekli olarak daha fazla gelişime ve daha büyük hayallere götürür. Hayallerimiz kendimiz için beslediğimiz umutlardır; hayaller kaybolduğunda umutlar kaybolur.

Sağlıklı ailede çocuklar sohbet içinde hayaller geliştirirler; sağlıksız ailede çocukların hayalleri gelişemez, gelişmiş hayalleri yok edilir. Acı gerçek şudur ki, aile genellikle hayallerin öldürüldüğü yerdir. Akıllı anne-baba çocuğunun filizlenmekte olan hayalini fark edip sohbetiyle canlı tutar ve zaman içinde gerçekçi bir zemine oturtur. Çiftler kendi aralarında sohbet kurabilmişse flört döneminde oluşan hayallerini yaşatabilmişlerdir; aralarında sohbet kuramamışlarsa, bireysel hayaller ve umutlar evlendikten sonra sönüp gitmeye mahkûmdur.

Çocuğunuz sizinle sohbet kurmayı ve sohbet içinde kalmayı öğrendikten sonra onu diğer kişilerle de sohbet kurmaya teşvik edin. Zaman içinde çocuğun yaşam ekibi büyümeye başlasın. Ama bu sizin sohbeti keseceğiniz anlamına gelmez. Gençler güvenilir yetişkinlerle sürdürebilecekleri duyarlı ilişkilere her şeyden çok ihtiyaç duyarlar. Sohbet içinde olan gençler, hayatlarındaki en heyecanlı, ürkütücü ve değişken dönemde zaman patlayacak yükselecek fırtınalarla daha kolay başa çıkar. Bu deneyimler geliştiricidir; çocuğunuzun olgun insanlarla, sohbet içine girmesini teşvik edin; bazı gençler bunu yapmak için anne-babalarından izin alma ihtiyacı duyabilir; açık seçik izin verin, destekleyin.

Sohbetle ilgili bilmeniz gereken en önemli şey, çocuğun davranışına dönük değil, çocuğun algı ve duygularına dönük sohbet oluşturmanızdır. Çocuğun davranışına bakmak yerine çocuğun iç sesine kulak vermeniz gerekir. Sohbet içinde kalabilmesi için çocuğun yaşam coşkusunu yitirmemesi önemlidir; bu, onun en büyük hazinesidir. Kalpten gelen sözler, kalbi etkiler. Doğuştan her çocuk iyi bir insan olmaya yönelir ve sezgisel olarak iyinin ne olduğunu bilir, ama doğuştan gelen bu potansiyelin sohbet içinde doğru tanıklıkla beslenip geliştirilmesi gerekir.

Sohbetin Nasılı: Nasıl Sohbet Kuralım?

Anne-baba olarak çocuğunuzla sohbete hazır olduğunuzda:

1. *Sakin, güvenen, değer veren bir insan olmanız gerektiğinin farkında olun.* Aceleci, telaşlı, kaygılı, öfkeli bir durumda iseniz çocuktan uzak durun; faydanız değil, zararınız dokunur.

2. *Çocuğunuzun sezgisel olarak; kendisiyle, ilişkileriyle, yaşamla ilgili her şeyin farkında olduğunu bilin. Sohbetinizi onun sezgileri üzerine kurun.* Zamanla sezgilerini daha açık seçik hale getirmesine yardımcı olmayı amaçlayın; onunla sohbetinizi onun deneyimleri, duyguları ve hisleri üzerinden kurun. Kendi zekânızı ve kendi bilgilerinizi gösterme ihtiyacı duymayıp süreç içinde gidilecek yönü çocuğa bırakırsanız daha iyi olur.

3. *Çocuğunuzu dinlerken verebildiğiniz tüm dikkati verin,* etkileşime odaklanın; bu dikkati çocuğunuzda görmediğinizde zorlamayın, ortam daha iyi olana kadar bekleyin.

4. *Kendinizi çocuklarınızın davranışlarından sorumlu tutmayın;* siz çocuklarınıza karşı kendi davranışlarınızdan sorumlusunuz; onların diğerleriyle ilişkileri içinde ne yaptığı çocuklarınızın sorumluluğudur.

5. *Çocukların sınırlarına, mahremiyet alanlarına saygılı olun.* Çocuğun kendi yaşam alanından sorumluluk alması ve sınırlarının bilincine ulaşması önemlidir. "Üzülme", "yüzünü asma", "telaşlanma", "kızma", "sabırsızlanma" gibi duygularını yönlendirici, denetleyici ya da bastırıcı sözler söylemeyin; bırakın çocuğunuz nasıl hissettiğinin farkına varsın ve duygularını nasıl yöneteceğine kendisi karar versin.

Hemen yardım etmeyin; bırakın uğraşsın, karşılaştığı sorunu kendisi çözmeye çalışsın. Sizden farklı anlam vermesine ve farklı düşünmesine izin verin; sormak durumundaysanız, "ben şöyle düşünüyorum, sen nasıl düşünüyorsun" gibi sorun.

6. *Çocuğunuzun sizden farklı düşünme özgürlüğü olduğunu hiç unutmayın.* Korku-kaygı kültüründe çocuk terbiyesi çocuğu güçsüz bırakıp utandırma temeline dayandığı için çocuğun farklı düşünmesi başkaldırma veya saygısızlık olarak algılanır. Niyetiniz çocuğu kalıplamak değil geliştirmek ise, çocuğun biz bilinci içinde farklı düşünmesini teşvik eden bir tavır takının.

7. *Çocuğunuzla kurduğunuz sohbetin sağlıklı ve başarılı olması için çaba gösterin;* sohbetin sonunda çocuğunuz daha farkında biri olacaktır. Farkında olma hali çocuğu uzun vadede daha güçlü, daha kendine güvenli kılar. Geliştiren anne-baba sohbet içinde sürekli şu soruyu canlı tutar: "Çocuğuma nasıl bir tanık oluyorum; onu güçlü mü kılıyorum, yoksa özgüvenini yıpratıyor muyum?" Hedefiniz *seçim yapan ve seçimlerinden sorumluluk alan bir insan* yetiştirmek ise, her sohbetinizin sonunda çocuğunuz seçim yapma gücünü kendinde hissetmelidir; hayati tehlikesi olmamak kaydıyla, yanlış seçim yapma ihtimali olsa dahi.

Kısa vadede rahatlık isteyen korku-kaygı dolu anne-baba seçimleri çocuğa bırakmaz ve kendi isteklerini ona zorla kabul ettirir. Ancak kısa vadede yaşanan bu rahatlık uzun vadede ortaya çıkacak felaketin tohumlarını eker. Saygı-güven dolu anne-baba ise, başlangıçta çekilen zorluğun uzun vadede elde edilecek gönül dostluğunun temellerini attığının bilincindedir. Korku-kaygı kültüründe anne-baba kimin dediği olacak kavgası içindedir ve kısa vadede çocuğunu ezip kendi isteğini kabul ettirir. Böyle yaparken çocuğa aslında şu mesajı vermektedir: "Ben senin annen baban olarak kırılgan, güçsüz biriyim. Benim kendi isteğimin dışında başka bir şeye, tahammül gücüm yok. Onun için beni korumalı, bana yardım etmeli, benim dediğimi istemesen de yapmalısın!" Çocuk annesinin babasının dediğini yapsa da onlara olan saygı ve güvenini de kaybeder. Ve ileride, kendisi büyüdüğü zaman, onlarla saygı duymadığı, güvenmediği insanlar olarak ilişki kurar.

Saygı konusu üzerinde kısaca durmak istiyorum. Çocuğunuzun size saygı duymasını istiyorsanız, ilk adım sizden gelmeli, siz çocuğunuza gerçekten saygı duymayı ve saygılı davranmayı öğrenmelisiniz. Saygı duyulan çocuk kendi tanıklığı içinde kendi iç dünyasına çeki düzen vermeyi öğrenmeye başlar. Çocuğun kendi iç dünyası, benim can dediğim içsel hissediş tarzı, çocuk için en önemli hazinedir. Annenin babanın yatırım yapacağı can olmalıdır; özgüven denilen şey, sağlıklı gelişmiş candır. İçsel hissediş dağınıksa ve çocuk derli toplu bir iç düzen geliştirememişse, o zaman dikkat dağınıklığı oluşacaktır. Çocuk dıştan yönetilerek değil, onunla kurulan saygılı sohbetle gelişir. Sizin saygılı dış tanıklığınız, onun kendi iç tanıklığının gelişmesine yol açar. Kendi iç tanıklığının gücünü keşfeden çocuk kendi gelişimini inşa etmeye başlar. Böyle bir çocuk kendi yaşamının direksiyonundadır. Çocuğa dıştan ödül ya da ceza vermek onun geliştirdiği bu doğal iç sistemi bozar. Ödül ve ceza çocuğun kendi iç sesinin, vicdanının gelişmesini engeller.

Aile ortamında saygı duyulmayan ve yetersizlik hissiyle büyüyen çocuk hiçbir işi beceremeyeceğini düşünür; yılgınlık ve tükenmişlik duygusu yaşar.

"Çocuğumuz kendi içindeki dünyayı ne kadar yönetebiliyor?" Anne-babanın sorması gereken en önemli soru budur. Unutmayalım, içindeki dünyayı yönetemeyen dışındaki dünyayı yönetemez; dışa anlam veren içimizdir.

8. *Çocuğunuzla sohbet kurarken çocuğunuzla aynı yaşam ekibinde olduğunuzu hatırlayın.* Onun sahibi değilsiniz, onun annesi babası olarak ekiptesiniz. Çocuğuna güvenen ve ailede temel değerlerin, erdemlerin yaşamasına önem veren anne-baba, çocuğunu yaşamının en küçük ayrıntılarına kadar yönetmeye kalkmaz; onunla sohbet içinde kalır, o sohbet içinde çocuğuna saygılıdır. Çocuk yaşam içinde davranışının doğal sonuçlarına tanık olur. Bazen sevindirici bazen üzücü sonuçlar oluşsa da önemli olan elde edilen farkındalıktır.

Anne-babalar çocuklarına bağımlı olmamalı, onları özgür, saygıdeğer bireyler olarak görmeli ve çocukların düşünce, duygu ve kararları üzerinde bağırıp çağırmadan sohbet edilebilmelidir. Eğer anne ve baba olarak çocuğunuzla aynı yaşam ekibinde olduğunuzun bilincindeyseniz, birlikte öğrenen iki insan olursunuz; olayları birbirinizin gözünde değerlendirir ve birlikte dersler çıkartırsınız. Utandırmazsınız, mükemmeli aramazsınız, bilen insan tavrı içinde değil, öğrenen insan tavrı içinde sohbet edersiniz.

Emin olun çocuklarınızla yaptığınız özgürce sohbetten hem kendiniz, hem onlar, hem de yaşam hakkında çok şey öğrenirsiniz. Önemli olan kaygınıza yenik düşmeyip, sevgi, güven ve umutla beslenmeye açık olmanızdır. Sonuçlar başlangıçta acı verebilir, ama hakikat o sonuçların altında gizlidir; şimdi acı veren bir hakikat ileride güç ve coşku kaynağını oluşturur.

9. *Çocuğunuzla sohbet kurarken yaşamın özünde ilişkilerin yattığını çocuğun fark etmesini sağlamak aklınızdan hiç çıkmamalı.* Yaşam bir ekip işidir. Eldeki diğer parmaklar olmadan tek parmağın gücü yoktur, iki el tek elden daha güçlüdür. İnsan bedeni tek hücreli başlangıcından, en son yetişkin insan haline gelinceye kadar sürekli bir ekip bilinci içinde çalışır.

Sadece insanın içinde değil, insanlar arasında da ekip anlayışı vardır. Tüm yaratılış, tüm evren bir ekip olarak vardır. Güneşi hesaba katmadan dünyadaki hayatı açıklayamazsınız. Çocuklarımızın insan ilişkilerinin ekip oluşturduğunu bilmeleri, ekip olmayı ciddiye alan bir tavır içinde yetişmeleri önemlidir. Onlarla sohbetinizin çerçevesi hep ekip anlayışı olmalıdır. Toplumda demokratik hayatın sindirilmesi, çocukların, yaşamın bir ekip işi olduğunu çocukların ailede anlamasıyla başlar. Ekip bilincinde yetişen kişi sınırlar ve sorumlulukların farkındadır. Ailesini, komşularını, mahallesini, toplumunu düşünen bir insan kolayca suç işleyemez. Biz bilinci gelişmiş biri, kendi ailesine dönük bir zarar verme niyetini içinde barındırmaz. O nedenle sadece ailede değil, okullarda da çocuklara yaşamın bir ekip işi olduğu öğretilmelidir. Okullarda böyle bir eğitimin ilk adımı öğretmen eğitimiyle başlar. Biz bilinci gelişmiş öğretmen biz bilinci gelişmiş öğrenci yetiştirir.

10. *Çocuğunuzla sohbet kurarken çocuğunuzun hayatındaki en önemli tanık sizsiniz, bunu hiç unutmayın.* Tanıklık boyutlarını hatırlayın, çocuğun sezgisel dünyasında bakışınız, hareketiniz, sesinizin tonu, neyi söylediğiniz ve nasıl söylediğiniz, susuşunuz, susuş tarzınız, nefes alışverişiniz, gergin ya da rahat oluşunuz ona şu tür mesajlar verebilir:

önemlisin / önemsizsin
sen olduğun gibi kabul edilecek birisin / değilsin
teksin, biriciksin / senden sürüyle var
güvenilirsin / güvenilmezsin
emek ve zaman vermeye, sevilmeye değersin / değmezsin
ekibin saygıdeğer bir üyesisin / ekipten değilsin ve saygıya değmezsin

Hangi mesajları vererek sohbet kurduğunuzun farkında olun.

Bir okurum yazmış:

Benim annem bir köylü kadını. Okumayı kendi başına az da olsa öğrenmiş. Ama benim annem, örnek alınabilecek en güzel annelerden biri. Çünkü hayatım boyunca hep dinlemesini bildi, hiç azarlamadan, korkutmadan doğruyu gösterdi, konuştu. Çocukluğum da dahil annemden sır sakladığım hiçbir dönem olmadı. Çünkü onunla konuşabiliyor dertleşebiliyordum. Onun bu kişiliği sayesinde mutlu bir çocuk olabildim.

Şimdilerde herkes bilgili ve bilinçli aile olma, iyi eğitimli çocuklar yetiştirme derdinde, haklı olarak. Ama ilk bakmanız gereken şey çocuğumuzu dinliyor muyuz, anlıyor muyuz, sorunlarını bizimle paylaşacak kadar güveniyor mu bize? Bunu düşünmek gerekiyor. İyi bir annebaba olabilmek için diplomalı anne-baba olmadan daha önemli bir şey var bence; "empati" yapabilmek, çocuğu anlayabilmek.

Bir başka okurum başarı öyküsünü şöyle paylaşmış:

Her evde iki-üç hatta dört televizyon, iki buzdolabı, bunlar bir yana yazlığı kışlığı... Terazide ölçülebilen pek çok şeyi kazanmak için bütün enerjimizi harcıyoruz. Sonra da çocuklarımız için diyerek, vicdanımızı rahatlatmaya çalışıyoruz. Beş ay önce emekli oldum. Evde dört-beş ay dinlenmek ve çocuklarımla bölük pörçük, kırık dökük baba/oğul ilişkimizi düzeltebilmek için uğraştım. Küçük oğlum bir aydır günlük yaşanmışlıklarını benimle paylaşıyor ama ilk defa bugün beni, ben istemeden öptü. Allah'a şü-

kür ki, bu beş ay içerisinde bir öpücük almayı başardım. Bu daracık yerde ne demek istediğimi sanırım bir parça anlatabildim. Ben bu öpücüğü, daha dört yaşındayken bana kızgınlığından ötürü, benimle üç ay konuşmayan oğlumdan almayı başardım. Hayatımın en mutlu anlarından birisidir.

Sohbeti Engelleyen Nedenler

*Kendini terbiye edemeyen,
çocuğunu terbiye edemez.*

Sohbeti engelleyen en temel nedenler şunlardır: Anne-babanın, 1) Mükemmeliyetçi olması, çocuğun hata yapmasına izin vermemesi; 2) Temel değerlerden yoksun, tutarsız bir tavır içinde olması; 3) İstek ve ihtiyaç arasındaki farkı önemsememesi; 4) Güçlü, güvenilir bir otorite olamaması; 5) Kendini geliştirip çocuk için bir rol model olmaya özen göstermemesi.

Şimdi bunlara kısaca bir göz atalım.

*1) Anne-babanın mükemmeliyetçi olması,
çocuğun hata yapmasına izin vermemesi*

"Hayatımda hiç hata yapmadım, ben mükemmel biri olarak doğdum ve mükemmel biri olarak yaşadım," diyen birinin yaşam öyküsünü okumak ister misiniz? Ben istemem. Hatta bu insanın öğretmenim olmasını da istemem. Hata yapmayan insan gelişmek için risk almamış insandır; hata yapmayan insanın hayatı aslında yaşanmamış bir hayattır.

Yaşamın belirsizlik ortamında yapılan sohbet, gerçeği keşfetme yolculuğunun en güçlü yöntemidir. Yaşama yönelik ilgimiz, onun barındırdığı belirsizlikten gelir. Her şey hakkında tümüyle emin olsaydık, bilinecek her şeyi bilseydik, daha fazla keşif ya da buluş olmazdı; bilim son bulurdu. Etrafımızı saran evren daha önce izlenmiş bir filmden başka bir şey olmazdı. Bizlere ulaşılacak bir ülkü sağlayan sanat ve din artık anlam taşımazdı.

Çocuğun kendi başına yapabileceği şeyleri bir başkasının onun için yapması onun gelişmesini engeller. Çocuğunu bilinçli olarak gerçekten seven bir anne-baba onun yapabileceği şeyleri onun için yapmaz. Onun gerekirse hata yapmasına ve bu hatasından öğrenmesine olanak sağlayan bir ortam hazırlar.

Yaşamın meydan okumalarının tükenmez olması bizim şansımızdır. İnsan çabası sonsuzdur ve bu çaba içinde insan mutlaka hata yapacaktır. Hata yapan çocuğun anne ve babası hata yapma cesareti gösteren çocuğu alkışlayan bir tavır içinde sohbete girmeli ve sürdürmelidir. Korku-kaygı kültüründe yetişmiş insanların çoğu, hata yapılmasına izin vermeyen, mükemmeliyetçi insanlardır. Bu mükemmeliyetçi insanların çoğu evhamlıdır. Evhamlı insanın gelişimi daha en başından engellenmiştir, yaşamın sorunlarına yönelik çözümleri yüzeysel olup kişisel güçlükleri aynı ölçüde büyüktür. Evhamlı insanların anne-babaları da korku-kaygı kültüründe büyümüş kaygı dolu evhamlı kişilerdir.

Çocuğun yaşamdan ders alacağı olaylarla karşı karşıya gelmesi için hata yapmasına izin verirken, ona zarar verebilecek şeylerden nasıl koruyacaksınız?

Bu soru her çocukta, her yaşta ve her durumda karşınıza çıkacak bir sorudur. Kaygı ve korku dolu anne-baba çocuğa hiç hata fırsatı tanımadan kendine bağımlı bir insan yetiştirirken, hiç umursamaz bir anne-baba çocuğunu hiç korumadığı için onun bedenen ve ruhen sakat kalmasına yol açabilir.

Geliştiren anne-baba çocuğun gelişim aşamasını ve içinde bulunduğu koşulları iyi değerlendirir ve dengeli gelişim deneyimleri için fırsatlar yaratır. Çocuğun uçurumun kenarında yürümesine izin vermezsiniz, ama merdivenleri kendi başına çıkmasına izin verebilirsiniz. Zaten çocuk gerçekten tehlikeli durumları hissedecek bir duyarlığa sahiptir; sizin ve onun duyarlığı birlikte sağlıklı deneyim alanları oluşturur. Çocuğa güvenmezseniz özgüveni düşük kaygılı biri olarak yetişir; çocuğa sağlıklı bir güven içinde yaklaşırsanız o da özgüveni yüksek, sağlıklı biri olarak yetişir.

Çocuğun en güçlü eğitimi onun kendi yaşam deneyimleri hakkında kendi mahrem dünyasında kendi tanıklığı içinde yaptığı gözlemlerle oluşur. Bu deneyimleri edinmesini engellediğiniz zaman en güçlü eğitim alanını çocuğa kapatmış olursunuz. Çocuk hata yapmadan, yaptığı hata sonucu acı çekmeden büyüyüp olgunlaşamaz. Çocuğunu gerçekten seven anne-baba onun bu acısına saygı duyar, bu acıdan onu korumaz. Çocuğa hata yapma özgürlüğü verdikten sonra o hata yapınca ona kızmak ya da yargılamak sahtekârlıktır. Çocuk hata yapınca onunla sohbet etmeye devam etmek ise dürüstlüktür.

Çocuğum hiç hata yapmadan, hiç acı yaşamadan, sarsılmadan büyüse ne güzel olur, diye düşünen anne-babalar çoğunluktadır. Doğumlarından itibaren anne-babalarının sözlerini dinleseler, doğru davranışlarda bulunsalar, istenilen sonuçları alsalar, öğrenilmesi gereken şeyleri hiç hata yapmadan hemen öğrenseler, ne kadar hoşumuza gider. "Benim yaptığım hataları onun yapmasını istemiyorum" sözünü anne-babalardan ne kadar sıklıkta işittik. "Böyle ahmakça bir hatayı benim çocuğum nasıl yapar? Neden bana sormaz! Neden benim sözümü dinlemez! Sorsa, dediğimi dinlese şimdi bu berbat durumda olmazdı!" veya "Evladım, sana kaç kere söyleyeceğim; dilimde tüy bitti, ama sen hâlâ öğrenmedin!" gibi sözlerin hiçbir eğitici, geliştirici değeri yoktur.

Bütün ebeveynlerin çocuklarına günün sonunda şunu sormasını isterdim "Bugün hangi zorluklarla karşılaştın? Nasıl üstesinden geldin?" Ebeveynin kendisi de, aynı konudaki deneyimlerini çocuğuyla paylaşırsa bu iki katı değerli olur.

Çocuğunuzun hata yapmasına izin veren bir sohbet ortamı oluşturun; hata yapma olasılığı olmayan çocuk gerçekten kalıcı bir biçimde öğrenemez. Kendi seçimlerini yapacak ve yaptığı seçimlerin sonucunu görecek ve yaşayacak. Her davranışın bir sonucu vardır; davranışının sonucunu yaşamayan çocuk davranışından sorumluluk almayı öğrenemez.

2) Anne-babanın temel değerlerden yoksun,
tutarsız bir tavır içinde olması

Çocuğunuzla ilişkiniz, ailenizde yaşayan değerlerle tutarlı mı? Tutarlıysa güven gelişir, tutarsızsa kaygı gelişir. Güvenin olduğu ilişkide kaygı olmaz. Değerli sosyolog Emre Kongar bir sohbetimizde, "İnsanın ulaşabileceği en yüksek mertebe, güvenilir bir insan olmaktır," demişti. Güvenilir olmanın temelinde kendinle tutarlı olmak yatar. İnsanın kendiyle tutarlı olabilmesi için önce "evet"ini keşfetmesi, sonra da "hayır" deme iradesine sahip olması gerekir.

Her şeyi bilmeniz mümkün değildir; nerede durduğunuz konusunda dürüstlüğünüzü korursanız çocuklarınızın size güveni artacaktır. Onlar mükemmelliği değil tutarlılığı önemserler.

Çocuğuyla sohbetinde tutarlı olmak için anne-baba şu il-keleri kullanabilir:

- *Uygulaması sizin gücünüzü aşan kurallar koymayın.*
- *Uygulama aşamasında* sonuç almanın kolay olmadığı-nı siz de kabul edin. Çocuklarınız kadar siz de gelişme ve olgunlaşma aşamasındasınız.
- *Gerçek niyetinizi yansıtan kurallar koyun.* Kuralları ko-yan siz misiniz yoksa sizin korku ve kaygılarınız mı? Niyetiniz çocuğun yaşama hazırlanmasına yardımcı olmak mı, yoksa kendi kaygılarınızı sıfırlamak mı?
- *Sadece çocuğunuzun değil, kendinizin de uyabileceği kurallar koyun.* Anne-baba, ailede yaşayan değerleri göz önüne alıp, iyice düşünüp taşınıp makul, gerçekçi ve gelişimi teşvik edici kurallar koymalıdır.

3) Anne-babanın istek ve ihtiyaç arasındaki farkı önemsememesi

Çocuğu kendi ayakları üzerinde var olan ve yaşamla dans edebilen biri olarak yetiştirmek için onun istekleri ile onun ih-tiyaçlarını ayırt etmek gerekir. Sevgi onun ihtiyacıdır ama te-lefon onun isteğidir. Sevgi vermeyi koşulsuz sürdürün, çün-kü bu ihtiyaç karşılanmazsa çocuk sağlıklı büyüyemez. Ama isteklerin karşılanması birçok koşula bağlıdır. Bunlardan en önemlisi bu isteğin yerine geldiği zaman çocuğun gelişmesi-ne olumlu bir katkıda bulunmasıdır. İhtiyaçları karşılanan, is-tekleri de dikkatle değerlendirilen çocuk sorumluluk almayı, sınırlarını, bağımsız ama işbirliği içinde olmayı öğrenir.

İhtiyaçların karşılanması için hiçbir koşul konmaz; ihti-yaçlar çocuk o ailenin çocuğu olduğu için karşılanacaktır. Çocuğun altı tanıklık boyutunu aile içinde yaşaması ve ken-dini önemli, doğal, değerli, güvenilir, sevilmeye ve saygı duyulmaya layık hissetmesi doğuştan onun hakkıdır. Bu, koşullara bağlanamaz. Ama telefon veya bisiklet alınması gibi isteklerin karşılanması zamana, paraya, ilişkiye göre koşullara bağlanabilir ve bu koşullara bağlama çocuk için öğretici ve geliştirici olur.

4) Anne-babanın gerekli ölçüde güçlü, güvenilir bir otorite olamaması

Çocuğun doğumdan itibaren güven duyduğu bir kucağa, güven duyduğu bir sese, güven duyduğu bir yüze ve bir ortama ihtiyacı vardır. Kendini güvende hissetmeyen çocuk ne bedensel, ne zihinsel ne de duygusal olarak gelişebilir. Çocuk güven duyduğu bir ortamda yavaş yavaş gelişerek kendine güven duyan bir insan haline gelmeye başlar. Çocuğunuzla sohbetinizde çocuğunuzun size güvenilecek bir otorite olarak bakması önemlidir. Bu güven duyulan otorite zamanla çocuğa sorumluluk verip ona güvenmeye başlayınca, çocuk kendine ve kendi yetkinliğine inanmaya başlar.

Anne-baba ailede yaşayan değerlerle tutarlı kararlar alıp sağlam bir şekilde bu kararları uygulamalıdır. Çocuğun anne-baba otoritesine ihtiyacı vardır. Otorite ve sevginin bir arada olduğu bir aile, çocuğun gelişimi için en uygun ortamı yaratır. Korku-kaygı kültüründe otoritenin gücü vereceği cezadan gelir. Saygı-güven kültüründe otoritenin gücü tanıklığından gelir. Çocuk sevdiği, saydığı, değer verdiği otoritenin kendini görmesini, beğenmesini, takdir etmesini ister; hem de çok! O nedenle anne-baba hiçbir zaman çocuğun arkadaşı, akranı değildir, olmamalıdır. Anne annedir, baba babadır. Çocuklarınızı annesiz ve babasız bırakmayın. Onların zaten okulda ve mahallede arkadaşları, akranları vardır.

*5) Anne-babanın kendini geliştirip çocuk için
bir rol model olmaya özen göstermemesi*

Yeniden hatırlatalım, sizin yaşamınızla çocuğun yaşamının kesiştiği sohbet anında, geçmiş vardır, şimdi vardır, burası vardır ve gelecek vardır. Suçluluk ve pişmanlık duygusuyla dolu bir insan geçmişe takılıp şimdi ve buradayı göremez hale gelir. Böyle bir anne ve babanın ağzı çocuğuyla konuşur ama aklı geçmiştedir. Çocuk bunu hisseder.

Aynı şekilde, kaygı duygusuyla geleceğe takılıp kalan biri de şimdi ve buradayı olduğu gibi algılayamaz. Böyle bir anne ve baba da çocuğuyla şimdi ve burada sohbet edemez; çocuk bunu da hisseder.

Sağlıklı gelişmiş kişinin gözlemleyen bilinci güçlüdür. Gözlemleyen bilinç, olayları algılamada şimdi ve burada etkili olan unsurların farkındadır. Bu unsurlar nelerdir? Bu önemli bir soru. İnsan geliştikçe bu liste büyür:

1. Geçmişinin kendisini nasıl etkilediğinin farkındadır. Şimdi ve buradaya kendi geçmişinden neler getirdiğinin farkındadır. Bu suçluluk, pişmanlık gibi olumsuz, ya da üstünlük, başarı gibi olumlu duygular olabilir. Geçmişin şimdi ve buradayı nasıl etkilediğinin farkında olmak önemlidir.

2. İçinde bulunduğu sosyal ortamın şimdi ve buradaya getirdiği beklentilerin farkındadır. Şimdi ve buradayı etkileyen biyolojik, psikolojik, toplumsal etkenlerin farkındadır. Bu ortamda seçimlerinin ne olabileceğinin farkındadır.

3. Gözlemleyen bilinci gelişmiş insan şimdi ve burada etki alanı içerisine giren önceliklerinin bilincindedir. Bunu yapabilmesi için şimdi kim olduğunu, gelecek-

te kim olmak istediğini bilmesi gerekir. Böylece gelecek şimdi ve burada potansiyel olarak görülür ve kişinin önceliklerini belirler.

Bu söylediklerimizin önemini kavrayan anne ve babalar çocukla sohbet anı olan şimdi ve buradayı en etkili ve en verimli şekilde kullanmak için sürekli kendilerini geliştirirler.

Kendine değer verip geliştirenin ait olduğu ekip de kaçınılmaz olarak gelişir. Akıllı anne-baba bilir ki, sevdiği ve değer verdiği insanlara yapabileceği en büyük hediye, kendini geliştirerek olabileceği en iyi insan olmaktır.

Aile Toplantıları ve Ailede Yaşayan Değerler

Daha önce söylediklerimize kısaca bir göz atalım: İlk bölümde kucağınızda tuttuğunuz, gözlerine baktığınız çocuğunuzun muhteşem bir potansiyel olduğunu söyledik. Bu potansiyel uygun ortamı bulursa gelişir, uygun ortamı bulamazsa solar, gelişemez, zamanla yok olur gider.

İkinci bölümde çocuğunuzla ilgili niyetinizin farkına varmanızı istedik. Siz çocuğunuz için mi varsınız, yoksa çocuğunuz size hizmet etmek için mi doğdu? Çocuğunuz sizin hayatınızda saygıdeğer bir küçük insan mı, yoksa kullanmanız için gönderilmiş bir araç mı? Umarım şu fikirde anlaştık: Anne- baba için sağlıklı, saf ve doğru olan niyet, çocuğunun olabileceğinin en iyisini olmasına hizmet etmektir.

Üçüncü bölümde, anne-baba olarak sizin kim olduğunuzu sorduk. Çocuğunuzu kalıplayan mı yoksa geliştiren mi birisiniz? Geliştirmek isteyen anne-baba çocuğun davranışına değil, kendiyle çocuğu arasındaki ilişkiye önem verir. Korku, kaygı ve öfke dolu biri değil, güven, umut ve şükür dolu biri olmaya özen gösterir.

Dördüncü bölümde dört konu üzerinde odaklandık:

1. Evliliğin temeli sağlıklı karı-koca ilişkisidir; eşler arasındaki ilişkiyi ihmal ederek iyi anne-baba olamazsınız.

2. Doğup büyüdüğünüz aile ortamı hakkındaki farkındalıklarınız ne kadar artarsa, o kadar etkili anne-baba olursunuz.

3. Anne-baba olarak çocuk yetiştirme yaklaşımı üzerinde ne kadar anlaşırsanız o kadar etkili ve yararlı olursunuz.

4. Çocuğunuzla ilişki kurmanın en verimli, en sağlıklı yolu onunla sohbet içinde olmaktır.

Okuyacağınız bu beşinci bölümde ise, aile toplantılarından ve çocuğun içinde yetiştiği aile ikliminde yaşayan temel değerlerden söz edeceğiz.

Şöyle bir benzetme yapmak istiyorum: Çocuk yetiştirmeyi, uzun sürecek bir yolculuk olarak düşünelim. Yolculuk ile ilgili gerekli araçları, gereçleri, ihtiyaçları topladınız, artık yola çıkmak üzeresiniz. Bir haritaya ve bir de pusulaya ihtiyacınız olduğunun farkına vardınız. Bu bölümde konuşacağımız aile değerleri işte bu pusuladır.

Yolculuk boyunca haftada bir mola verin, yolculuk nasıl geçiyor, neleri iyi yapıyoruz, neleri daha iyi yapabiliriz ve neler öğreniyoruz, aranızda konuşun. Yolculukta verilen bu molalar da aile toplantılarıdır.

Yolculukta kaybolduğunuzu hissettiğiniz zaman haritayı açın, pusulayı kullanın, yeniden yönünüzü bulun ve yolculuğa devam edin. Bu yolculuğun ailenizin yolculuğu olması için aile değerlerinizi yaşamaya özen gösterin.

Aile İklimi ve Değerler

Ne mutlu onlara,
yüreğinden güç alan bir aile oldular.

Ailede yaşayan değerler odaya girdiğiniz zaman hissettiğiniz hava gibidir. Elle tutulmaz, gözle görülmez, ama oradadır ve biz onu sürekli soluruz.

Sosyolog arkadaşım Nurdoğan Arkış anlattı; kendisi altı yaşlarındayken ağabeyi bir Almanı evlerine çağırıyor. Almanı misafir odasına alıyorlar ve ikramda bulunuyorlar. Ziyareti sırasında tuvaleti de kullanan misafirleri gittikten sonra baba, "Çok saygısız bir insan," diyor. Nurdoğan soruyor, "Niye baba? Saygısız ne yaptı?"

"Görmedin mi," diyor baba, "Ayağını çıkarmadan eve girdi. Bu evde namaz kılınıyor. İnsan terlik istemez mi? Ayağının pisliğiyle her yere bastı. Bir de tuvalete girdi, çıktı, salonda gezdi! Çok saygısız!"

Sürekli içinde yaşadığımız odadaki havanın farkında olmak zordur. Sürekli o odada olduğumuz için alışmışızdır; hissetmeyiz bile. Ama dışarıdan gelen biri, "Pencereleri açın, soğan kokusundan içeride durulmuyor!" diyebilir. Çocuk Nurdoğan, babanın Alman misafirin davranışlarını değerlendirmesinden kendi ailesinde yaşayan değerlerin farkına vardı.

Sadece yabancılar evlerimize geldiği zaman değil, başka yörelerde, değişik geleneklerde, yetişmiş insanlarla aynı ortamları paylaştığımızda da bu farklılıklar dikkatimizi çeker. Yeni ortamların gelenek ve göreneklerini öğrenirken kendi içimizde taşıdıklarımızın farkına varırız.

"İyi", "Doğru" ve "Adil"

Bana öyle geliyor ki, insanoğlu doğuştan şu üç sorunun cevabını bilmek ve yaşamak istiyor.

Aile ortamında bu sorular kendini şöyle gösteriyor: Bu aile için "iyi" olan ne? "İyi" olanı hangi "doğru" davranışımızla hayata yansıtabiliriz? Ve "iyi" olanı yaşatabileceğimiz "adil bir aile ortamı"nı nasıl oluştururuz?

Bu üç soru, *"iyi olan ne"*, *"doğru davranış hangisi"* ve *"adil ortam nasıl kurulur"* çok temel insanlık konularıdır. Yalnız ailenin değil, kurumların ve toplumların da sağlıklı işleyişi bu üç soruya nasıl cevap verildiğinde yatar. Bu üç konuda anne-baba anlaşamıyorsa o ailede barış oluşamaz. Bu üç konuda bir toplumu oluşturan yurttaşlar anlaşamıyorsa o ülkede huzur ve barış sağlanamaz. Bu üç konuda uzlaşma olmadığı sürece ailede sürekli bir gerginlik ve çatışma olur. Anne ve baba bu konuların konuşulması için yaşlarına göre çocukların da ciddi olarak katıldıkları bir sohbet ortamı oluşturacak aile toplantıları yapmalıdır.

İnsan Yaşamının Dört Gereksinmesi

> *Çocuklarınıza inanç ve yaşam amaçlarını*
> *dayatmayın – bu hapishanedir!*
> *Kendinizinkini keşfedin ve yaşayın!*
> *O da aynısını yapar – bu özgürlüktür!*

"İyi" olan, ailedeki her bir insanın olabileceğinin en iyisi olacak şekilde gelişmesidir. Bu da ailenin değerlerini yaşatan "doğru davranışlarla" mümkündür.

İnsanın olabileceğinin en iyisi olabilmesi için farkında olması gereken dört temel gereksinmesi vardır. Birey bilsin ya da bilmesin, bu dört gereksinme onun yaşamına yön verir. Bunlar:

1. Biyolojik-ekonomik-cep gereksinmesi: Yeme içme, barınma, hayatını kazanma ve idame ettirme gibi nesnel ihtiyaçları karşılama.

2. Akıl gereksinimleri: Düşünme, sorgulama, keşfetme, öğrendiklerini birleştirme ve yeni düşünce sistemleri oluşturma.

3. *Gönül gereksinimleri:* Duygularını yaşama, sevme, sevilme, dostluk ve arkadaşlıklar oluşturma, evlenme, aile kurma, dernekler, kulüpler oluşturma.

4. *Anlam verme, büyük resmi oluşturma, manevi yaşam gereksinimleri:* "Hayatın anlamı ne, ben ne için varım, biz niçin varız, iyi olan ne, doğru davranış ne, adil bir ortam için ne, neyle ve nasıl bir ilişki içinde olmalı" gibi soruları cevaplandırma. İdeolojiler, dinler gibi, her türlü inanç sistemi bir anlam verme çerçevesi oluşturma girişimidir. Ve bu çerçeve içine giren varsayımların, kabullenmelerin, inançların toplumsal ve tarihsel kökleri vardır. Bu inançların içine doğup büyüdüğümüz için, onları odadaki hava gibi fark etmeyiz, ama soluruz. Bu inançlar hayatımıza yön verir.

Kültürel kalıpların farkında olmayan bir aile ortamında büyümüşseniz, büyük bir olasılıkla, bu dört gereksinmenin hayatınızda nasıl yer aldığıyla ilgili bireysel bir farkındalık geliştirememişsinizdir. Ve siz de kendi çocuğunuzu tıpkı anne-babanızın sizi yetiştirdiği gibi yetiştirirsiniz.

Biz nimete basmayız. Biraz düşündüğünüzde bu inancın arkasında önemli değerlerin yattığını görebiliriz:

1. Doğanın üreticiliği.
2. Tarlayı ekmek, biçmek için verilen *emek.*
3. İşbirliği.
4. Ekimden harmana kadar geçen *zaman* ve *sabır.*
5. Aç olanın *halinden anlama.*

Sokakta yere düşmüş bir ekmek ya da simit parçasını alıp öpüp başına koyan ve sonra bir duvarın üstüne bırakan kişi acaba yukarıda saydığımız bu değerlerin bilincinde mi? Sırf davranışına bakarak bu sorunun cevabını bilemeyiz. Bir değerler sistemini yaşama yansıtıyor olabildiği gibi, yaptığının üstüne kafa yormadan sadece kültürel bir kalıbı uyguluyor da olabilir. Eğer kişinin bu davranışı, özümsemiş olduğu değerlere dayanan bilinçli bir seçimse, o zaman kendi inancını yansıtarak "iyi" olanı, "doğru davranışı" ve "adil ortamı" yaşatıyor, demektir.

İşte yaşayan değerlerden kasıt budur. Annenin babanın ailenin yaşayan değerlerini bilinçli hale getirme sorumluluğu vardır. Değerler bilgi değildir; *"değerler"*, *büyük resim içinde olaylar, nesneler, kavramlar arasında nasıl ilişki kurulacağını belirten inançlardır.* Dünyanın en iyi doktoru olabilirsiniz, ama bu bilginizi Nazi Almanyası'nda olduğu gibi insanları gaz odalarında en etkili biçimde öldürmek için de kullanabilirsiniz, Albert Schweitzer gibi Afrika'da hastane açıp fakir halkı tedavi etmek için de. Bilgi araçtır; değerler ise niyeti ifade eden inançlardır ve bilginin nasıl, nerede, hangi amaçla kullanacağını belirlerler.

Annem öldüğünde on yaşındaydım. O zamanın ve yörenin gelenekleri gereği babam annemin ölümünün ardından altı ay geçmesini bekledikten sonra yeniden evlendi. Analığımız Toros köylerinden okuma yazması olmayan bir Yörük kadınıydı. Bir gün serçe kuşuna sapanla taş atarken, "Vurma yavrum," dedi. Ben, Silifke şivesiyle, "Ne var, bannak gibi, güpgüçcük guş!" deyince, "Canın büyüğü, güccüğü olur mu yavrum; Allah her birine bir can vermiş, vurma günah," dedi. Okuma yazma bilmeyen analığımın büyük resminde büyük, küçük her can korunmaya değerdi. Bu, müthiş bir evrenselliği, "can"lardan oluşan bir büyük "biz"in varlığına işaret ediyordu. "İyi", "doğru" ve "adil" çok belirgin tanımlanmıştı.

Yıllar geçti. Ben Amerikalı eşimi ve üç çocuğumu Amerika'da bırakıp Türkiye'ye döndüm ve dört yıla yakın bir zaman onlardan ayrı kaldım. Çok acı günler geçirdim ve hayatımı, kararlarımı sorgulamaya başladım. Bir büyük olarak analığımdan akıl almak istedim. Ne yapmam gerektiğini sordum. Bana söylediği şu oldu: "Sen bir gâvurla evlendin; o çocuklar da gâvur çocuğu. Unut onları! Burada yeniden evlen, kendine yeni bir aile kur!"

İki hafta depresyondan çıkamadım. Demek kuşun canı, can; ama benim çocuklarım gâvur. Analığımın büyük resminde iki türlü insan canı vardı: Müslüman canı ve gâvur canı. Gâvur canı hayvan canı kadar bile dikkate almaya değmezdi; çocuklarımın canı, kuşun canı kadar değer taşımıyordu. Analığım kendi ortamının büyük resmini ve onun içindeki inançları kültürel kalıplar içinde öğrenmişti ve o kalıplar içinde düşünüyor, hissediyor ve kararlarını veriyordu.

Büyük resminiz değerlerle soluk alır, yaşar. Sürekli sizinle beraber olduğu için –yeniden aynı benzetmeyi kullanacağım– odanın havası gibi onu da fark edemezsiniz. Ama değerlerinizin farkında olmanız ve onları içinize sindirmeniz *anlamlı, güçlü ve coşkulu bir yaşam* için gereklidir. Çünkü daha önce anlattığım gibi, seçimleriniz, kararlarınız ve eylemleriniz sizin değerlerinizle seçilir, biçimlenir, yönlenir ve hayatınızı inşa eder.

Aile Toplantıları

Aile toplantıları ailenin tüm bireylerine eşit değer verdiği için sadece güçlüyü hesaba alan korku-kaygı kültürünün içinde gelişemez. Bu toplantıların, saygı-güven kültürü içinde yaşayan bir aile için çok yararlı olacağına inanıyorum. Önerim anne-babanın aile konularını konuştukları bir zaman ayırma alışkanlığı daha çocuklar doğmadan geliştirmesi ve çocuklar doğunca onları da süregiden bu toplantılarının bir parçası yapmalarıdır.

Aile toplantıları her hafta yapılır. Süresini 30-45 dakika arasında tutmakta yarar vardır; katılanların isteğiyle bazı toplantılar uzatılabilir. Çocuklu aileler ilk defa aile toplantılarına başlıyorsa, ilk altı ay boyunca aile toplantısını anne-baba yönetmeli ve çocuklara örnek olmalıdır. Daha sonra her bir çocuk önce yönetici yardımcılığı yapar ve bir süre sonra da kendine sıra geldiğinde aile toplantılarını yönetmeye başlar.

On iki, sekiz, ve dört yaşlarında üç çocuklu bir ailenin aile toplantısı yapmaya başladığını düşünelim. Daha önceden kararlaştırılan ve herkese uyan bir zamanda toplanılır. Baba ve anne sırayla ilk toplantılara başkanlık yaparlar.

Toplantıya şu şekilde başlanabilir:

"Ailemize önem verdiğimiz ve birlikte değerli bir ekip oluşturduğumuz için her hafta toplanacağız. Bu aileyi birlikte yöneteceğiz. Konuşarak aramızda iş bölümü yapacağız. İlk altı ay anne ve baba olarak aile toplantılarını biz yöneteceğiz, daha sonra her biriniz sırayla her hafta aile toplantısını yönetmeye başlayacaksınız.

"İlk önce evde yapılan işleri bölüşmemiz gerekiyor. Onun için önce bu evde yapılan bütün işlerin bir listesini çıkaracağız."

Bu aşama çok önemlidir. Bütün işler konuşularak listelenir. Alışveriş, ev temizliği, çamaşır, ütü, çamaşırların katlanması, yerleştirilmesi, yemeğin ve masanın hazırlanması, yemekten sonra masanın toplanması, bulaşıkların yıkanması, çöpün atılması, tamir edileceklerin götürülüp getirilmesi, ayakkabıların boyanması vb.

Bu liste gayet uzun tutulur, hiçbir şey gözden kaçırılmaz; önemli önemsiz her iş bu listeye girer. Listenin tamamlanması haftalar alabilir.

Daha sonra bu liste gözden geçirilir ve kimin hangi işi yapacağı, yaparken kimden yardım alacağı konuşulur. Bu konudaki kararlar zorlamayla değil, biraz sonra ele alacağımız temel aile değerlerini yaşatacak adil bir ortam içinde alınır.

Daha sonra şu soru sorulur: "Peki, yapmaya söz verdiğiniz ve sorumluluğunu aldığınız bir işi yapmadığınız zaman sonucu ne olsun?" Bunlar konuşulur ve aile toplantı tutanak defterine yazılır. Deftere büyük harflerle, AİLE TOPLANTILARI TUTANAK DEFTERİ yazılır ve her bir tutanağa o günün tarihi atılır.

İlk toplantıdan itibaren anne ve baba, "Biz bu ailenin büyükleriyiz ve sizin yetişmenizden sorumluluk alıyoruz. Böyle bir ailemiz olduğu için şükür duygusu içindeyiz. Bu aile çok anlamlı bir ekiptir ve anne-baba olarak bizler ekip liderleriyiz. Sizler kendi ekiplerinizi kurduğunuz zaman siz de kendi ekiplerinizin liderleri olacaksınız. Bu ailede yaşamasını istediğimiz bazı değerler var ve bu değerler adına biz ailemizi yöneteceğiz" dedikten sonra ve ailenin değerlerini tanıtmaya başlar.

Ailenin Temel Değerleri

Sevdiğiniz insanların gerçeği bilmeye hakları var.
Yalan söylenmiş bir insan sevilmeyen bir insandır.

Anne-baba aşağıda teker teker kısaca açıklamasını yapacağım her değerlerle ilgili:

- Kendi davranışı ve konuşmalarıyla örnek olmalı.
- Çocukların bu değerleri yaşatan davranışlarına tanıklık yapmalı.
- Her davranışın kısa vadede olduğu kadar uzun vadede ortaya çıkaracağı sonuçları da konuşmalı.
- Öyküler, olaylar anlatmalı ve gerçek yaşamdan örnekler vermeli.
- Söz konusu değeri yaşayan ve yaşatan insanların huzur ve mutluluğunu konuşmalıdır.

Her bir değer çocuklara anlayabilecekleri bir dille ve yaşamdan örnekler verilerek anlatılır ve "ne diyorsunuz, bizim ailemizde bu değerler yaşasın mı, duygu, düşünce ve davranışlarımızda görülsün mü?" diye sorulur. Gerekirse, bu konuda kendi aralarında tartışmalarına olanak sağlanır. Aşağıda verilenleri aile toplantılarında tartışılabilecek değerler olarak düşünebiliriz.

Dürüstlük ve gerçeğe koşulsuz saygı

Kişinin diğer insanlarla, kurumlarla, toplumla ve kendisiyle ilişkisinde bütünlük içinde olması. Bildiği gerçeğe bağlı olarak düşünmek, konuşmak ve davranmak. (Gerçeğe saygılı dürüst insan yalan söylemez, hırsızlık yapmaz, aldatmaz; hem kendinin hem de diğerlerin hakkını korur, hakka saygılıdır.)

Biz bilinci içinde barışçıl olmak

Sorunları barış ve huzur içinde çözme eğiliminde olmak. (İlişkide çatışma yerine anlayışa önem verilir. Diğerlerinin duygularına tepki vermek yerine o duyguları anlama eğilimi içinde olunur.)

Kendine inanmak ve kendini geliştirmek

Kendini diğerlerinden farklı kılan bireysel yönlerin farkında olmak ve onları geliştirmek. Gelişmeye ve yapabileceğinin en iyisini yapmaya kendini adamak.

Kendine hâkim ve ölçülü olmak, sınırlar ve sorumluluk bilinci geliştirmek

Bedensel, duygusal ve zihinsel olarak kendine hâkim olabilmek ve davranışlarında ölçülü olmak. Arzu ve iştahlarına gem vurabilmek ve konuşmada, yemede, egzersizde ölçülü olmak. Beden ve zihin sınırlarının farkında olmak. Aşırı görüşlerin tehlikelerinin farkında olmak. (Bu değer şimdi ve burada sınırlarımın ne olduğunu, yani etki alanımı ve öncelikle nelerden sorumlu olduğumu bilmemin altını çizer.)

Aile ilişkilerine ve diğer kutsal inançlara saygılı olmak

Ailenin temelindeki güven ilişkilerine ve insanın kendini aşmasının simgesi olan kutsal inançlara, manevi değerlere saygılı olmak. Aileyi bir arada tutan temel duygusal dokuya saygılı olmak. (Anne-baba, diğer değerlerde olduğu gibi aile ilişkilerine ve diğer kutsal inançlara da saygılı olmalıdır.)

Sevgi

Saygı ve sadakatin ötesinde bir ilgi ve iyilik isteği. Seçtiği insanların gelişimine ve mutluluğuna zaman ayırmak ve gayret etmek. (Anne-baba, eş olarak birbirleri için zaman ayırıp emek veriyorlar mı? Anne-baba olarak her bir çocuk için zaman ayırıp emek vererek sevgi davranışını gösteriyorlar mı? Bunun farkında olmak önemli.)

Halden anlamak: Empati

Diğerleriyle ilişki kurarken olayları ve konuşulan konuları onların gözüyle görmeye özen göstermek; insanların duygularına duyarlı olmak. (Kendi duygu ve düşüncelerimi anlamak isteğim, kendime olan saygımdan, kendime değer vermemden kaynaklanır. Karşımdakine değer vermemin doğal sonucu olarak da karşımdakinin duygu ve düşüncelerini anlamak isterim. Halden anlamanın bir değer olduğu evde, iki aylık bebeğin ne demek istediği önemsenir ve o bebek dinlenir; bebeğin ihtiyacı olan dikkat ve zaman ayrılır. "Bir ağaç gibi tek ve hür, bir orman gibi kardeşçesine" bir ilişki içinde herkes ormandaki her ağacın halini anlamaya hazırdır. Ekibin sağlıklı çalışabilmesi için bu değer çok önemlidir.)

İyi kalpli ve arkadaşça olmak

İlişkilerde nazik ve düşünceli davranmanın kaba saba davranmaktan daha değerli olduğuna inanmak. Karşı çıkmak yerine anlamak eğilimi. Kendinden daha güçsüz insanlara daha özenle yaklaşmak. Arkadaş edinmeye ve eldeki arkadaşları kaybetmemeye özen göstermek. En önemlisi kendi iç dünyasına yabancılaşmamak, kendiyle de arkadaşça ilişki içinde olmak.

Aile toplantıları devam ettikçe zaman içinde aile kendi için "iyi" nedir konusunda açık seçik bir anlayışa ulaşacaktır. İyi olanı hangi davranışla eyleme sokarız; aile bu "doğru" davranış konusunda da görüş birliğine ulaşacaktır. "İyi" ve "doğru" olanı hayata geçiren aile kendisi için "adil" bir aile ortamı yaratacaktır. Bu aile ortamında kitapta paylaştığımız bütün kavramlar yerli yerini bulacaktır. Çocuk böyle bir ailede kendi potansiyelini keşfedecek ve gelişmeye başlayacaktır. Aile toplantılarıyla değerleri gözden geçirecek, ev işlerinde yer alarak tam sorumlu bir ekip üyesi olacak ve tanıklığın altı boyutunu yaşayarak kendini önemli, kabul edilmiş, değerli, güvenilir, sevilmeye layık ve saygıdeğer biri olarak görecektir.

Bir Aile Etkileşimi

Aşağıdaki öykü bir Doğu Anadolu kasabasında oturan bir ailede yaşanmış gerçek bir öyküdür. Bu öyküyü, psikoloji konularında kendini geliştirmeye ilgi duyan Şerafettin Can Polat'ın kaleminden ailenin izniyle aktarıyorum. (Kendisine emek ve zamanı için teşekkür ediyorum.)

Yakından tanıdığı aileyi ziyaret ettiğinde yer alan etkileşimi şöyle anlatıyor:

Evin en büyük çocuğu olan Elif'in (12), kardeşi Yusuf'a (10) babası tarafından tanınan ayrıcalıktan kaynaklı bir sitemle başladı olay. Babasına karşı, ama annesine bakarak, erkeklere tanınan bu ayrıcalığın haksızlığından yakındı, annesinin ona cevap vermesini beklemeden ağlayarak başka bir odaya geçti. Evin diğer iki çocuğu Beyzanur (8) ve Halit (4) ise bu sırada sessizce olayı izliyor ve gülümsüyorlardı.

Bu durumda etki alanımı belki de aşarak babasına kız erkek arasında ayırımcılık yaptığını söyledim. Baba sessizliğini korudu. Evin hanımı bana hak verince baba sakin bir tavırla öyle bir durumun olmadığını belirtti.

Ben diğer odaya Elif'in yanına gittim; ağlıyordu. Teselli etmeye çalışınca, "Hep öyle yapıyorlar, hep!" diyerek sitemini yeniledi. Aklımdan aile toplantısı yapmak geçti ve Elif'e şu soruyu sordum: "Elif bir aile toplantısı yapsaydık ve sana söz hakkı verilseydi babana karşı neler söylemek isterdin?"

"Bütün haksızlıkları söylerdim," dedi.

Yusuf, Beyzanur ve Halit'i çağırdım ve "Birazdan bir aile toplantısı yapacağız ve hepinize söz hakkı verilecek," dedim. Bu sözlerim hepsinin yüzünde gülümsemelere yol açtı. Sanki oyun oynayacaklarmış gibi sevindiler.

Toplantının kurallarından söz ettim, Elif'e yapması gerekenleri anlattıktan sonra evin babasını ve annesini karşıma alacak bir şekilde televizyonun önünde durdum ve, "Bu akşam televizyonu kapatıp bir toplantı yapmak istiyorum," dedim.

İlk başlarda baba pek istekli olmadı; çocukların gelecekleri ve ailenin önemi adına yaptığım açıklamalardan sonra ikna oldu. Televizyonu kapattım ve çocukları çağırdım.

İlk başta çocuklar çekindi; odaya gelmek istemediler. Onlarla konuşmamdan sonra odaya gelmeye cesaret ettiler. Odaya geldiklerinde Elif'in gözyaşları hâlâ yanaklarında kurumuş değildi; kimsenin yüzüne bakmadan köşede bir uç noktaya oturdu.

İlk olarak hepsinin karşısına ben çıktım; televizyonun tam önünde ayakta durdum ve aile toplantısının öneminden bahsettim; sonra toplantının kurallarını belirttim. Herkes izin alarak konuşacak; biri sözünü bitirmeden diğeri konuşmayacak. Elime bir kalem aldım ve, "Bu kalemi kim elinde tutarsa televizyonun önünde ayakta duracak ve o konuşacak," dedim.

"İlk olarak kim konuşmak ister," deyince, kimse yine cesaret edemedi; herkes Elif'e baktı. Elif'in gözyaşlarının yerini biraz utanma, biraz tebessüm ve biraz da heyecan almıştı.

"Elif gelmek ister misin," deyince Yusuf ve Beyzanur işin eğlencesinde olduklarını belli edercesine alkışladılar. Elif'in yüzü iyice tebessümle doldu.

Elif'in kulağına eğilip, "Sadece güçlü ol," diye fısıldadım ve yerime geçtim.

Elif bütün ailenin karşısında elinde kalem ayakta durdu; bütün aile üyelerinden beklentilerini ve yanlış gördüğü durumları sırasıyla söyledi. Konuşurken, babasının onu erkek kardeşi kadar sevmediğini ima etmesi babasının yüzünde acı bir tebessümle cevap buldu.

Baba, "Yok kızım ben hepinizi çok seviyorum," dedi. Bu sözü duyan Elif gayet rahatlamış ve kendi görevini başarmış bir edayla bu sefer kalktığı köşeye değil de kanepeye oturmaya karar verdi.

Elif'ten cesaret alan Yusuf ve Beyzanur da, anne-babalarından ve kardeşlerinden beklentilerini ve duygularını ifade etmek için televizyonun önünde ayakta durup sırayla konuştular.

Sıra annedeydi; yapılan bu toplantının heyecanını ve mutluluğunu daha en başından yüzünde taşıyan anne, çocuklarına karşı olan sevgisini ve beklentilerini anlattı. Daha sonra belki de ilk kez böyle bir ortamda eşinden olan beklentilerini ve eşinin görevlerini hatırlatma ihtiyacı duydu. Anne bunları anlatırken baba uzandığı pozisyonu bozmadan yüzünde tebessüm, bu konuşmalardan zevk alan bir tavır içinde eşine cevap vermeye, kendini savunmaya başladı. Anneye tebessümle laf yetiştirmeye çalışınca olaya müdahale etmek zorunda kaldım.

Babaya, o an konuşmamasını, sırası gelince bunların hepsine cevap verecek zamanı olacağını söyledim. Anne de konuşma ve kendini ifade etme görevini başarılı bir şekilde yerine getirdikten sonra yerine oturdu.

Hepimiz sırası gelen babaya baktık, "Evet, sıra sende buyur," deyince baba oturduğu yerden konuşmaya başladı.

Derhal müdahale ettim ve annenin de beni desteklemesiyle onun da kalkıp, televizyon önünde daha önce çocukların ve eşinin yaptığı gibi, ayakta durarak konuşmasını sağladım. İlk baştaki heyecanı atlattıktan sonra ciddiyetle bütün sorulara cevap vermeye çalıştı. Babanın bu tavrının annede ve çocuklarda büyük bir mutluluk yarattığı gözlerinden okunuyordu.

Baba görevini yerine getirip yerine geçtikten sonra çocuklar bu sefer de babalarını alkışlayınca babanın sevinci iyice yüzünde beliriverdi.

Ertesi sabah baba işe gittikten sonra anneyle yaptığım sohbette dünkü toplantıyı babanın da çok beğendiğini öğrendim. Böyle bir olaya vesile olmak beni de ciddi manada mutlu etmişti.

Anlatılan olayda oluşturulan tanıklık ortamının herkese nasıl iyi geldiği görülüyor. Aile toplantıları fikrini bir televizyon programında dile getirdikten sonra lise öğrencisi bir gençten şöyle bir mektup aldım:

Sayın Doğan Bey. Sayenizde evde aile toplantısı yaptık ve evde iş paylaşımı yapıldı. Eğer kendi görevlerimi yapmazsam en önemli şeyim olan bilgisayarım yasaklanacak. Annem ve babam size minnettar ama ben şu an dahi içimden size sövüyorum. Kulağınız çınlarsa sebebi benim. Saygılar

Aile toplantılarında ev işlerinden sorumluluk alan çocuk her hafta anne ve babasıyla sohbet içinde yaşamındaki değerleri yaşatmaya özen gösterirse, bilgisayar hayatından çıkıp gitmeyecek ve o da sorumluluk içinde bilgisayar kullanan bir çocuk olacak.

Geçen gün bir anneden aşağıdaki mektubu aldım:

Biliyorsunuz zamanımız gençleri, bilgisayar oyunları ve elektronik aletlerle iç içe büyüyorlar. Oğlum on iki yaşında; bıraksam yaşıtları gibi bütün gün bilgisayar oynayabilir. Oyunlar konusunda gerekenlerin hepsini anlatıyorum. İşten geldiğimizde onu özlediğimizi, onunla sohbet etmek istediğimizi her akşam söylememe rağmen o bildiğini yapıyor ve oyuna devam ediyor. Ayrıca akşamları derslerine harcaması gereken zamandan fazlasını bilgisayara harcıyor. Ben de tatlılıkla yanlış yaptığını anlatıyorum, ama artık tatlılıkla anlatmaktan sıkıldım. Okul hayatını daha ciddiye alması için uğraşıyoruz. Başarılı bir öğrenci fakat artık daha fazla çalışması gerektiğini anlatıyoruz. Başaramıyoruz. Tavsiyelerinize ihtiyacım var. Öncelikle bir erkek olduğunuz için, bir eğitmen olduğunuz için ve de baba olduğunuz için tecrübelerinize ihtiyacım var. İnsanı rahatlatan gülümsemeniz yüzünüzden hiç eksik olmasın. Sevgi ve saygılarımla.

Bana mektup yazan bu annenin ailesinde, yukarıda sözünü ettiğim aile toplantılarını düzenli yapıyor olsaydı, bu sorunlar daha oluşurken konuşma imkânı bulurlardı. Bu alt yapı olmadan daha sonra yapılan davranışı değiştirme müdahalelerinin başarılı olma şansı çok düşük olacaktır.

Haftalık Harçlık

Haftalık harçlık konusu altı, yedi yaşından itibaren uygulanabilir. Aile kendi bütçesi çerçevesinde çocuğuna onun yaşına uygun haftalık bir harçlık vermelidir. Bu haftalık harçlık onun hakkıdır; herhangi bir iş karşılığında değil, bu ailenin evladı olduğu için verilir. Para konusunda yapılan sohbetlerle çocuğun para yönetmeyi öğrenmesi için gereken farkındalıklar geliştirilir.

Haftalık bütçe tartışmalarını çocuk izin verirse aile toplantısında yapın; izin vermezse, onunla tek başınıza olduğunuz zaman yüz yüze yapın.

Aile Toplantılarının Kazandırdıkları

Daha önce ifade ettiğimiz gibi bir toplumun demokratik bir toplum olmasının temelinde demokratik bir aile yapısına sahip olması yatar. Aile toplantıları aile yaşamının önemli bir parçası olabilir ve ailedeki herkes bundan yararlanabilir.

Aile Toplantılarının Kazandırdıkları

- Dinleme becerileri.
- Bir konuda fikir üretme becerileri.
- Sorun çözme becerileri.
- Karşılıklı saygı içinde ilişkileri sürdürme becerileri.
- Kızgınlık ve öfkeyi karıştırmadan sorunları çözmek için konuşma becerileri.
- İnsanlara değer verme duygusu.
- İşbirliği davranışı.
- Sorumluluk duygusu: zaman, para ve mekân yönetimi.
- Biz bilinci içinde liderlik becerileri.
- Aileye ait olma ve önemli olma duygusu.
- Sosyal sorumluluk.
- Hatalardan korkma yerine hatalardan öğrenebilme tutumu.

Aile Toplantılarının Anne-Babalara Sağladığı Olanaklar

- Aile içi güç çatışmalarını azaltır.
- Çocukların her davranışını denetlemeden onların kendilerini yönetmelerine olanak sağlar.
- Çocukları herkesin huzurunda sağlıklı bir biçimde dinleme olanağı verir.
- Karşılıklı saygı içinde sorumlulukları paylaşma olanağı sağlar.
- Aile geleneği oluşmasına fırsat vererek gelecek nesillere aktarılacak bir aile kültürü oluşturmasına fırsat oluşturur.
- Çocukların kazanmalarına önem verilen değer, inanç ve davranışların yaşamasına fırsat yaratır.
- Ömür boyu sürecek sağlıklı anıların oluşmasına ve paylaşılmasına ortam yaratır.

Aile Toplantılarının Altyapısı

- Aile bütçesinin yapılması ve herkesin haftalık harçlıklarının belirlenmesi. Bu konuda acele edilmez; herkes için dengeli ve adil bir görüşe gelinceye kadar konuşulur.
- Ailede yapılması gereken işlerin listelenmesi. Ailede yapılan bütün işlerin listesi çıkartılır; şimdiye kadar bu işleri kimin yapageldiği anlatılır; iş bölümü olduğu zaman kim yapacak ve ne zaman yapacak, konuşulur ve herkes görevini açık seçik anlar.
- İşlerin kabul edilen temel değerlerle uyum içinde bölüştürülmesi (Dört yaşından itibaren iş bölümüne herkes katılır.)
- Sorumluluklarını yerine getirmeyenler ne gibi sonuçlarla karşılaşacaklar; tartışılıp birlikte karara bağlanır ve bu alınan kararlar mutlaka uygulanır.

- Gelecek toplantının gündemi herkesin görebileceği bir yere –örneğin buzdolabının üzerine– yapıştırılır. Hafta içinde konuşulması gerekenleri hem anne-baba hem çocuklar oraya yazarlar.

- Rahat koltuklar yerine, bir masa etrafında toplanmak daha iyi netice verir.

- İzin alarak söz alma ve konuşanı dinlemek önemlidir. (Kolaylık olsun diye örneğin şöyle bir yöntem uygulanır; başkan tuzluğu kime verirse o konuşur, konuşma bitince tuzluk başkana geri verilir.)

- Kararlar oyçokluğuyla değil, oybirliğiyle verilir. Oybirliğinin sağlanamadığı konular gelecek toplantıya aktarılır ve tartışma diğer konularla devam eder.

- Ailenin bir "Aile Toplantıları Defteri" olmalıdır. Benim önerim, deftere kaydın yanı sıra dijital ses kaydı yapılması ve saklanmasıdır. Yıllar sonra aile için çok değerli bir birikim olur.

- Her toplantının bir yöneticisi olur ve dört-beş yaşından itibaren çocuklar yönetici rolünü alabilirler. Annebabalar yönetici yardımcısı olarak gerektiğinde yardımcı olurlar.

- Her toplantının bir sekreteri, not tutucusu vardır. Konuşulanlar ve alınan kararlar toplantı tarihiyle birlikte deftere kaydedilir.

- Aile toplantı günleri özel günler olduğu için ailenin en sevdiği yemek pişirilir ve aile toplantısından sonra en hoş tatlılar sunulur ve isteyenlerle birlikte oynanabilecek oyunlar oynanır.

İlk başlarda çocuklar biraz acemilik çekse de zaman içinde aile yönetiminde herkes ustalaşır.

Aile Toplantılarının Yönetimi

- Sırası gelen başkan toplantıyı zamanında başlatır.
- Her kişi hafta içinde yaşadığı ve paylaşmak istediği bir deneyimi paylaşır ve o an, şimdi ve burada olmanın duygusu ne ise onu paylaşır.
- Gündemdeki konular teker teker ele alınır. Her konunun teker teker konuşulmasına özen gösterilir.
- Oybirliğiyle alınan kararlar deftere kaydedilir. Oybirliği olmayan konular gelecek haftanın gündemine aktarılır.

Aile toplantılarında neler konuşulacağı önceden belirlenir; aşağıdaki konuların konuşulmasına özen gösterilir.

Aile Toplantıları İçin Bazı Gündem önerileri

- Bütçeyle ilgili konuşmalar.
- Yeni alınacak eşya ve araçların kullanımıyla ilgili anlayışın oluşması.
- Tatillerin planlanması.
- Yaşlı aile üyelerine karşı sorumlulukların yerine getirilmesi.
- Önemli sivil kuruluşlara verilen zaman ve bağışlar; gönüllülük.
- Muhtemel olaylarla ilgili beyin fırtınası yaparak hazırlıklı olmak.
- Daha önce verilen kararların gözden geçirilmesi ve her bir toplantıdan sonra üç sütunlu bir tablonun oluşturulması; ilk sütun NELERİ İYİ YAPTIK, ikinci sütun NELERİ DAHA İYİ YAPABİLİRDİK ve üçüncü sütunda, NELER ÖĞRENDİK başlığını taşır.

BİTİRİRKEN

Bir toplum, çocuklarına duyduğu
saygı kadar uygardır.

Evet, inanıyorum, bir toplum çocuklarına duyduğu kadar uygardır. Çocuklarımızın bedenen ve ruhen sağlıklı yetişmesini toplumun en önemli konusu olarak görüyorum. Bu konuya kendimce katkı sağlamak için bu kitabı yazdım. Çocuğun muhteşem bir potansiyel olduğunun farkında olmak önemli. Bu, kırılgan bir potansiyel. Nasıl ki bir meşe palamudu ortamını bulursa gür bir meşe ağacı olur, çocuk da ortamını bulursa keşfedici, üretken, girişimci, çalışkan mutlu bir yetişkin olur. Niyetimiz çocuğumuzun doğuştan getirdiği bu potansiyeli geliştirmek olmalı ve anne-baba olarak etkili bir tavır almalıyız. Karı-koca olarak da kendimizi ve ilişkimizi tanımalı, çocuk yetiştirmenin bir ekip işi olduğunun bilincinde gereken bilgileri öğrenmeli ve becerileri geliştirmeliyiz. Aile ekibinin cebini, zihnini, gönlünü ve anlam dünyasını besleyip sağlıklı tutacak değerleri yaşatmaya özen göstermeliyiz.

Çocukları büyümüş anne-babalar bu kitabı okuyunca, "Vay vay vay; ben çok mu geç kaldım acaba?" diye telaşa kapılmasınlar. Sizler bildiğinizin en iyisini yapmaya çalıştınız; size saygım ve sevgim büyük. Bu kitaptan öğrendiklerinizle sağlıklı bir sohbet içinde aile toplantılarına başlayın ve aile değerlerinizin yaşamasına özen gösterin. Kaygılanmayı bırakın ve kendinizi aile değerlerine adayın.

Çocuklarımız bizim geleceğimiz. Benim bütün çabam anneler, babalar, öğretmenler ve yöneticiler aracılığıyla çocuklar için sağlıklı bir gelişim ortamı oluşmasına katkıda bulunmak. Bu amaca hizmet etmek için elimden geldiği kadar aşağıdaki kaynaklara yazıyor ve video yüklüyorum:

www.dogancuceloglu.net; Facebook, Youtube, Instagram ve Twitter. Yıllarca yaptığım televizyon programlarına da bu kaynaklardan ulaşabilirsiniz.

Başlarken belirttiğim gibi; işini ciddiye alan, niyetinin saflığı içinde elinden gelenin en iyisini yapmaya çalışan anne-babalara hayranım; onlar benim kahramanlarım. Buna karşın kucağındaki küçük insanın büyüklüğünün ve muhteşemliğinin farkında olmayan ya da umursamayan, anne-babaları görünce içim acıyor.

Sadece ülkemin değil, tüm insanlığın en önemli konusu olduğunu düşündüğüm için çocuklarına saygılı iyi anne-babalar görme konusunda sabırsızlığım var; umarım bunu anlayışla karşıladınız.

Kitabı okuduktan sonra değerlendirmenizi iletisim@dogancuceloglu.net adresine yapabilirsiniz.

NOTLAR

1. Gerhardt, Sue (2004). Why Love Matters. New York: Routledge.
2. Cibran, Halil. (2016). Ermiş. (s. 22). Remzi Kitabevi. İstanbul.
3. Lythcott Haims, Julie (2015). How To Raise An Adult. (s. 88-98). New York: Henry Holt and Company, LLC 1. Baskı.
4. "Success is peace of mind which is a direct result of self satisfaction in knowing you did your best to become the best that you are capable of becoming." Wooden, John and Jamison, Steve (2004). My Personal Best. New York: McGraw Hill.
5. Cüceloğlu, Doğan. İletişim Donanımları. "Yetişkin Oğluma" (s. 91). Remzi Kitabevi. İstanbul.
6. Cüceloğlu, Doğan. Savaşçı. Remzi Kitabevi. İstanbul.
7. Rogers, Carl R. (2012). Kişi Olmaya Dair [On Becoming A Person]. (s. 199-231). Okuyan Us Yayıncılık. İstanbul.
8. Çelen, Meral (2008). Aziz Nesin'li Yıllar: Çelen'in Anıları-II. (s. 32). 1. Baskı. Nesin Yayıncılık. İstanbul.
9. The Impact of Fathers on Children. 1Peter B. Gray, PhD, 2Kermyt G. Anderson, PhD, 1University of Nevada, Las Vegas, USA, 2University of Oklahoma, USA, October 2014. http://www.child-encyclopedia.com/father-paternity/according-experts/impact-fathers-children
10. Cüceloğlu, Doğan. (2007). İçimizdeki Çocuk. (s. 63-66). Remzi Kitabevi. İstanbul.
11. Cüceloğlu, Doğan. (2014). İletişim Donanımları. (s. 97). Remzi Kitabevi. İstanbul.
12. Arkış, Nurdoğan. Mümkün. Final Kültür Sanat Yayınları. İstanbul.

KİTAPTAKİ BAZI KAVRAMLARLA İLGİLİ DAHA AYRINTILI OKUMA İÇİN

Bir insanın kendi yaşamındaki "niyette saflığı" keşfetmesi konusunu *Savaşçı* kitabımda irdeliyorum. Aynı kitapta, olayları algılamada şimdi ve burada etkili olan unsurların farkında olan "gözlemleyen bilinç" konusunu da daha ayrıntılı olarak tartışıyorum.

Savaşçı tutumu ve savaşçının yaşarken canlı tuttuğu farkındalıklar, özellikle niyetinin saflığının farkında olarak anne ve babalık yapmak önem verdiğim bir konu. O nedenle savaşçı bilincinin farkındalıklarını aşağıda paylaştım:

- Karar vermeden önce düşünür, inceler, gözden geçirir, acele etmez, her şeyi hesaba katar, niyetinin saflığından ve ortama getirdiği bilinçten tümüyle sorumluluk alır.
- Aklıyla inceler, gönlüyle karar verir.
- Verdiği kararlardan pişmanlık duymaz.
- Sabırla bekler; beklediğini ve ne için beklediğini bilir.
- Ölümünün bilincinde, ama aynı zamanda bunu "umursamaz bir tavır" içerisindedir.
- Stratejik bir tavır içinde yaşar.
- Hiçbir şeyin müptelası olmaz.
- Her şeye saygıyla yaklaşır.

- Taşıyamayacağı yükün altına girmez; vuruş menzili içinde kalır.
- Seçimini yaparken, gönlünün sesini dinler.
- İçinde bulunduğu duygusal durumu kendisi belirler.
- Alçakgönüllüdür.
- Olan her şeyin üstesinden gelinmesi gereken bir öğrenme fırsatı olarak görür.
- Sağlığına özen gösterir.
- Yaşamına katkıda bulunan her şeye ve herkese teşekkür duygusu besler.

Görünüşü yetişkin ama içi olgunlaşamamış, "çocuk kalmış" insanların hayatlarını *'Mış Gibi' Yetişkinler* adlı kitabımda anlatıyorum.

Bazı insanlar duygusal olarak gelişemeyince bir yetişkinin olgunluğunu davranışlarında, konuşmalarında, ilişkilerinde gösteremiyorlar. Bedenen büyümüş, yetişkin gördüğümüz için onlardan beklentilerimiz olgun insan davranışları oluyor. Hayal kırıklığına uğruyoruz ve çoğu kere onları olduğu gibi kabul etmekte zorlanıyor ve öfkeleniyoruz.

Bu kitapta, "mış gibi yetişkin" bir erkekle bir kadının karı-koca ilişkileri ve annelik ve babalık yaparken nasıl davrandıkları anlatılıyor. Ailede baskın duygu kaygı, korku ve öfke. Ailenin bir kız bir de erkek çocukları var ve çocukların gelişmesine izin verilmiyor; hem anne hem baba farkında olmadan çocuklarını sürekli kalıplıyor. Kendi seçimlerini özgürce veren bir birey değil, kendileri gibi düşünen ve davranan bir kültür robotu yetiştiriyorlar. Ve bunun böyle olduğunun farkında bile değiller.

Geliştiren anne-baba olmak isteyenlerin, olmak istemedikleri rol modeller baba Recep Bey ve anne Hatice Hanım tarafından temsil ediliyor.

'Mış Gibi' Yetişkinler'de, "utanca boğan" aile ortamını da daha ayrıntılı olarak ele alıyorum. İlgilenen okurlar bu konuda ayrıca Korku Kültürü kitabımdan da yararlanabilirler.

Korku Kültürü'nde, kaba güçten başka hiçbir değer tanımayan ve "korkan-korkutan ilişkisi" üstüne kurulu bir yaşam anlayışının temelini irdeliyorum.

2004 yılında oğlum Timur'la on günlük bir gezi yaptık: İstanbul – Kastamonu – Sinop – Ordu – Amasya – Tokat – Niğde – Silifke – Afyon – İstanbul. Gezi boyunca gördüklerimizi bireyi ve toplumu yöneten kültür dinamikleri içinde anlamlandırmaya çalıştık. Gezimize hayali bir karakter, Arif Bey'de katıldı.

Gezi boyunca "güç" odaklı kaygı-korku kültürünün bir sistem olarak işleyişini ve toplumsal ve bireysel yaşama yansımasını sohbet konusu ettik. Korku kültüründe insan ilişkileri, kültürün doğası gereği güçlü-güçsüz ekseninde anlamlandırılır. Hakikat, adil olmak, halden anlamak, insan onuru gibi değerler güçlü/güçsüz ilişkisi içinde anlamını kaybeder. Düşünmeden körü körüne itaat, otoriteye yalakalık, zayıfı ezerek güçlü olduğunu göstermek kabul gören davranışlar olur.

Kaygı-korku kültüründe anne-baba çocuğu kalıplar; saygı-güven kültüründe geliştirir. Kaygı-korku kültüründen saygı-güven kültürüne geçiş anne ve babaların çocuk yetiştirme tarzlarını değiştirmesiyle olacaktır.

Kendimiz ve "ilişkilerimiz"le ilgili daha ayrıntılı bilgi için *İnsan İnsana* ve *İletişim Donanımları*'nı okuyabilirsiniz.

İnsan İnsana ilk yazdığım kitaptır. İletişimin insan ilişkilerindeki yerini anlatmak için yazılmıştır. Kitap iki kısımdan oluşur. İlk kısımda sözlü ve sözsüz mesajlar, kendini tanımanın önemi, savunucu tavır içinde konuşma, dinlemenin insan ilişkilerindeki yeri, sürtüşme ve çatışmaların hayatımızdaki yeri ve yönetimi, birey ve toplum ilişkileri  örneklerle anlatılmaktadır. İkinci kısımda değişim içinde olan toplumdan iletişim manzaraları, kültür ve iletişim ilişkileri, içimizde çatışan iki farklı dünya söz konusu edilmektedir.

 *İletişim Donanımları*'nda, anlamlı ve etkili bir yaşam için temel olan iletişim bilincini ele alıyorum. Bu kitapta insanın kendini ve dünyayı algılaması, kendiyle, toplumla ve dünyayla ilişki kuruş tarzları, "can" dediğimiz insanın kendi özünün, "yüz" dediğimiz sosyal dünyada kendini ifade etmesini anlatıyorum.

Kendini geliştirme yolunda, kişinin öncelikle "kendisiyle olan ilişkileri"ni gözden geçirmesi konusunu *İçimizdeki Çocuk* kitabımda ele aldım.

Her birimizin içinde bir çocuk var. Bu çocuk ya kendini önemli, değerli, olduğu gibi kabul edilmiş, güvenilen, sevilen ve saygı duyulan biri olarak görür ya da önemsiz, değersiz, kabul edilmemiş, güvenilmeyen, sevilmeye layık olma-

yan, saygı duyulmayan biri olarak görür. İçimizdeki çocuk, içinde yetiştiğimiz ailede oluşur.

Bu kitapta okurun içindeki çocuğu tanıması için uygulamalar verilmiştir. Sağlıklı ve sağlıksız ailede iletişim ve kurallar gözden geçirilir. Utanma ve utanca boğulma karşılaştırılır. Sağlıklı ailede bulunması gereken beş temel özgürlük irdelenir.

Ailenizde anlam vermenin temellerini araştırmak isteyip "değişim ve gelişimle" içtenlikle ilgilenen okurlarıma *Gerçek Özgürlük* adlı kitabımı okumalarını içtenlikle öneririm.

Bu kitap, gençlik yıllarımı temsil eden üniversite öğrencisi Timur ile yaşlılık yıllarımı temsil eden emekli psikoloji profesörü Yakup Bey arasında geçen sohbetlerden oluşuyor.

Sevdiği kızın kendisini önemsemediğini fark etmeyen Timur ona evlilik teklif eder. Sosyo-ekonomik düzeyi yüksek Nesrin kibarca, sen ben denk değiliz mesajını verir. Tesadüfen Timur'la karşılaşan Yakup Bey gencin yüzünden hüznünü ve yalnızlığını anlar ve ona isterse Sahaflar Çarşısı'ndaki kitapçı dükkânına gelebileceğini söyler.

Buluşmaya ve sohbet etmeye başlarlar. Bu sohbet içinde Timur kendi anlam verme sistemini, değerler sistemini, ezikliğinin kaynağını, toplumla, yaşamla ilişkisinin temellerini keşfetmeye başlayacaktır.

Anne-baba çocuğunu özgür bir insan olarak yetiştirmek istiyorsa çocukla sohbet etmesini bilmelidir. Timur ve Yakup arasından yer alan sohbet anne-baba için bir model teşkil edebilir. Bu kitapta, karşılıklı saygı içinde olan iki insanın yaşamı, ilişkilerini, kendi anlam verme sistemini keşfedişi yer almaktadır.

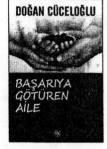

Anne ve baba olarak, "başarı"dan ne anlıyorsunuz? Ailece önceliğiniz hangi tür başarı? *Başarıya Götüren Aile* kitabımda bu konuda geniş açıklamalar var; ilgilenen okura öneririm.

Her anne-baba çocuğunun başarılı olmasını ister. Ancak, çocukları kaygılandırarak onları başarılı kılamayız; onları şevklendirmemiz gerekir. Kaygılı çocuğun beyni verimli çalışamaz; hevesli ve umutlu çocuğun beyni verimli çalışır.

Bu kitapta dört tür başarı anlatılıyor: 1) Okul başarısı; 2) Meslek başarısı; 3) Evlilik ve aile başarısı; 4) Yaşam başarısı. Çocuğumuzun yaşam başarısı diğer tüm başarılara şemsiye görevini görmeli, onları da kapsamalıdır.

Bu kitapta çocuğumuzun hevesle ve şevkle nasıl çalışıp başarılı olacağı ile ilgili anne-babalara bilgi verilmektedir.

"Etki alanınız" içinde kalarak görme engelinin üstesinden gelme üzerine yazdığım *Onlar Benim Kahramanım* adlı kitabımda, Türkiye'de bu konuda ilklerden birinin, Gültekin Yazgan'ın yaşam öyküsünü anlatıyorum.

Gültekin Yazgan on bir yaşında görme yeteneğini kaybetti. Aydın'da çocukluğunu yaşadı, ailesi ona ömür boyu bakmayı göze almıştı, ama o kendi ayakları üzerinde durabilen bir insan olmakta ısrar etti. Körler için oluşturulmuş Brail alfabesini öğrenmekte, okulu bitirmekte ve arkadaşlarıyla buluşmakta ısrar etti. Hiçbir özel sınav koşulu yaratılmadığı halde görenlerle yarışarak Ankara Hukuk Fakültesi'ne girdi ve oradan birincilikle mezun oldu.

Çocuklarını sağlıklı bir aile ortamında yetiştirmeye özenen okurlarımın anne ve baba olarak bu kitaptan esinleneceği çok yönler vardır. Gültekin Yazgan ve eşi Tülay Yazgan zorluklarla baş ederek sürekli kendini geliştiren ve topluma hizmet eden örnek bir çift. İzmir'de halen hizmet veren TÜRGÖK (Türkiye Görme Özürlüler Kitaplığı) binlerce görme özürlü insana eği-

tim olanakları sağlamaktadır.

Bu kitap Gültekin Yazgan ve eşi Tülay Yazgan'ın yaşam öyküsünü anlatmaktadır.

Bu konuda, başka bir kaynak da önerebilirim: Dost bildiğim ve hayran olduğum iki insanın, Kerim Altınok ve Selim Altınok'un yaşam öykülerini anlatan *Karanlığın Rengi Beyaz.*

Anne-baba olma konusunda kitap yazan birinin, hele bir bilim insanı tavrı içinde kitap yazan birinin, kendi anne babalığı merak edilir, bilinmek istenir. Bu okurun doğal hakkıdır; sanırım bu soru birçok okurun aklına gelmiştir.

Ben iyi bir baba olamadım. Çocuklarıma kötülük yapan bir baba değildim, ama onların bana en çok ihtiyaçları olduğu dönemlerde dört yıl, evet dört yıl, onlardan uzakta kaldım. Niçin uzakta kaldım? Ne

yapıyordum? Ben nasıl biriydim ve nasıl bir yaşam yolculuğu içinden geçerek bugün *Geliştiren Anne-Baba* kitabını yazıyorum?

Canan Dila'nın kaleme aldığı *Damdan Düşen Psikolog* adlı kitap bu soruların cevaplarını veriyor. Kitap, Canan Dila ile sohbetlerimizden oluşuyor; çocukluğumdan bugüne kadar hayatımı konu edinen sohbetlerden.

KAYNAKÇA

Adler, Alfred (2003). Yaşamın Anlamı [Der Sinn des Lebens, 1931]. İstanbul: Payel Yayınevi 1. Baskı. ISBN: 975-388-141-X

Akgül, Mustafa (2013). Size ve Evladınıza Mutlu Yuva. Ankara: Kitap Neşriyat Dağıtım Yayınları 1. Baskı ISBN: 978-975-6072-35-6

Altınok, Kerim; Altınok, Selim (2011) Karanlığın Rengi Beyaz. İstanbul: Laika Yayıncılık.

Arkış, Nurdoğan (2012). Mümkün. İstanbul: Final Kültür Yayıncılık.

—, (2016). Ben Kimim: Benlik ve Kimlik Bilincinin Temelleri. İstanbul: Final Kültür Yayıncılık.

Bolat, Özgür. (2016) Beni Ödülle Cezalandırma. Doğan Kitap. İstanbul

Boteach, Shmuley (2006). 10 Conversations You Need To Have With Your Children. New York: Regan Books. 1. Baskı. ISBN 13: 978-0-06-113481-4, ISBN 10: 0-06-113481-3

Brown, Brene (2008). I Thought It Was Just Me. London: Gotham Books. 1. Baskı ISBN: 978-1-592-40335-6

—, (2011). Mükemmel Olmamanın Hediyeleri [The Gifts of Imperfection]. İstanbul: Butik Yayıncılık 1. Baskı. ISBN: 978-605-5524-30-2

Ceren, Sandra L. (2008). Essentials of Premarital Counseling. Ann Arbor: Loving Healing Press 1. Baskı ISBN: 978-1-9326-690-66-8

Cibran, Halil. (2016). Ermiş. Remzi Kitabevi, İstanbul.

Chua, Amy (2012). Kaplan Anne'nin Zafer Marşı [Battle Hymm of the Tiger Mother]. İstanbul: Sistem Yayıncılık. 1 Baskı. ISBN: 978-975-322-656-1

Cline, Foster ve Fay, Jim (2006). Parenting With Love & Logic. Colorado: Pinon Press 2. Baskı. ISBN: 1-57683-954-0

Culp Dowling, Linda & Culp Mielenz, Cecile (2002). Mentor Manager&Mentor Parent. Burneyville: ComCon Books 1. Baskı ISBN: 0-9722782-4-9

Cüceloğlu, Doğan (2006). Başarıya Götüren Aile. İstanbul: Remzi Kitabevi.

—, (2007). İçimizdeki Biz. İstanbul: Remzi Kitabevi.

—, (2008). Korku Kültürü. İstanbul: Remzi Kitabevi.

—, (2011). Onlar Benim Kahramanım. İstanbul: Remzi Kitabevi.

—, (2012). Bir Kadın Bir Ses. İstanbul: Remzi Kitabevi.

—, (2013). İçimizdeki Çocuk. İstanbul: Remzi Kitabevi.

—, (2014). Savaşçı. İstanbul: Remzi Kitabevi.

—, (2014). Gerçek Özgürlük. İstanbul: Remzi Kitabevi.

—, (2014). İletişim Donanımları. İstanbul: Remzi Kitabevi.

—, (2014). İnsan İnsana. İstanbul: Remzi Kitabevi.

—, (2014). 'Mış Gibi' Yetişkinler. İstanbul: Remzi Kitabevi.

Çelen, Meral (2008). Aziz Nesin'li Yıllar: Çelen'in Anıları-II. İstanbul: Nesin Yayıncılık 1. Baskı. ISBN: 978-605-5794-00-2

—, (2008). Çocukluk ve İlkgençlik Yıllarım: Meral Çelen'in Anıları-I. İstanbul: Nesin Yayıncılık 1. Baskı. ISBN: 978-975-9038-99-1

Davidson, Richard J. & Begley, Sharon (2012). The Emotional Life of Your Brain. London: Plume Printing 1. Baskı ISBN: 978-1-59463-089-7 (hc.) – ISBN: 978-0-452-29888-0 (pbk.)

Dila, Canan (2015) Damdan Düşen Psikolog. İstanbul: Remzi Kitabevi.

Druckerman, Pamela (2012). Bringing Up Bebe: One American Mother Discovers the Wisdom of French Parenting. New York: Penguin Books 1. Baskı ISBN: 978-0-14-312296-8

Erdoğan, İrfan; Cüceloğlu Doğan (2013) Öğretmen Olmak, Bir Cana Dokunmak. İstanbul: Final Kültür Yayıncılık.

Gentile, Mary C. (2010). Giving Voice To Values. London: Yale University Press 1. Baskı. ISBN: 978-0-300-16118-2

Gerhardt, Sue (2004). Why Love Matters. New York: Routledge 1. Baskı ISBN: 978-0-415-87053-5

Gopnik, Alison (2009). The Philosophical Baby. New York: Farrar Straus Giroux 1. Baskı ISBN 978-0-374-23196-5

Gottman, John M. & Schwartz Gottman, Julie & Declaire, Joan (2006). Ten Lessons to Transform Your Marriage. New York: Three Rivers Press 1. Baskı ISBN: 978-1-4000-5019-2

Güneş, Adem (2013). Doğal Ebeveynlik. İstanbul: Timaş Yayınları 2. Baskı. ISBN: 978-605-08-1185-8

—, (2014). Kişilik ve Karakter Gelişiminde Çocukluk Sırrı. İstanbul: Nesil Yayınları 85. Baskı. ISBN: 978-975-269-910-6

Hermann, Hesse (2008). Klingsor'un Son Yazı [Klingsors letzter Sommer]. İstanbul: Yapı Kredi Yayınları 2. Baskı. ISBN: 978-975-08-0987-4

Hogan, Kevin. (2012). Etkili İletişimin Önündeki 8 Engel. İstanbul: Yakamoz Kitap 1. Baskı. ISBN: 978-605-384-462-4

Johnson, Spencer (1996). Bir Dakikalık Baba [The One Minute Father]. İstanbul: Epsilon Yayıncılık 1. Baskı. ISBN: 975-331-069-2

Kâğıtçıbaşı, Çiğdem (2010). Benlik, Aile ve İnsan Gelişimi. İstanbul. Koç Üniversitesi Yayınları 1. Baskı. ISBN: 978-975-08-0734-2

Katherine, Anne (1993). Boundaries: Where You End and I Begin. New York: Fıresıde 1. Baskı ISBN: 0-671-79193-1

—, (2000). Where To Draw The Line: How To Set Healthy Boundaries Every Day. New York: Fıresıde 1. Baskı ISBN: 0-684-86806-7

Konaş Büyükpınar, Didem (2013). Bir Boşanma Avukatının Anıları. İstanbul: NTV Yayınları 1. Baskı. ISBN: 978-605-5056-06-3

Krişnamurti (1996). İç Özgürlük. İstanbul: Yol Yayınları 4. Baskı. ISBN: 975-7569-23-2

Lythcott Haims, Julie (2015). How To Raise An Adult. New York: Henry Holt and Company, LLC 1. Baskı ISBN: 978-1-62779-177-9

Peter B. Gray, PhD(1), Kermyt G. Anderson, PhD(2). The Impact of Fathers on Children. (1)University of Nevada, Las Vegas, USA, (2)University of Oklahoma, USA, October 2014. http://www.child-encyclopedia.com/father-paternity/according-experts/impact-fathers-children

Rogers, Carl R. (2012). Kişi Olmaya Dair [On Becoming A Person]. İstanbul: Okuyan Us Yayıncılık 2. Baskı. ISBN: 978-605-4054-51-0

Rosemond, John (1995). A Family of Value. Kansas City: Andrews McMeel Universal Publishing 1. Baskı ISBN: 978-0-8362-0505-3

Rosemond, John (2005). Family Building. Kansas City: Andrews McMeel Publishing 1. Baskı ISBN-13: 978-0-7407-5569-9 ve ISBN-10: 0-7407-5569-2

Rosemond's, John (2011). Parent Power. Kansas City: Andrews McMeel Publishing 1. Baskı ISBN: 0-7407-1415-5

Runkel, Hal Edward (2007). Scream Free Parenting. New York: Broadway Books 1. Baskı ISBN: 978-0-7679-2743-7

—, (2011). Screamfree Marriage. New York: Crown Archetype 1. Baskı ISBN: 978-0-7679-3277-6

Russell, Bertrand (2005). Evlilik ve Ahlak [Marriage and Morals]. İstanbul: Cem Yayınevi 1. Baskı ISBN: 975-406-638-8

Satir, Virginia (2001). İnsan Yaratmak [The New Peoplemaking]. İstanbul: Beyaz Yayınları 1. Baskı ISBN: 975-599-000-3

Schlessinger, Laura (2002). Stupid Things Parents Do To Mess Up Their Kids. New York: Quill 1. Baskı. ISBN: 0-06-093379-8

Siegel, Daniel (2010). The Mindful Therapist. New York: W. W. Norton & Company, Inc. 1. Baskı. ISBN: 978-0-393-70645-1

Siegel, Daniel J. (2012). The Developing Mind. New York: The Guildford Press 1. Baskı. ISBN: 978-1-4625-0390-2

Siegel, Daniel J. ve Bryson, Tina Payne (2011). The Whole Brain Child. New York: Delacorte Press. 1. Baskı. ISBN: 978-0-553-80791-2

Templar, Richard (2008). Yaşamın Kuralları [The Rules of Life]. İstanbul: Optimist Yayım Dağıtım 1. Baskı. ISBN: 978-9944-186-66-7

Üzümcü, Ebru Tuay ve Doğru, Polat (2014). Kendin Ol, Hayatı Keşfet. İstanbul: Remzi Kitabevi.

Vannoy, Steven W. (1994). The 10 Greatest Gifts I Give My Children. New York: Fireside 1. Baskı. ISBN: 0-671-50227-1

Wooden, John (2012). Hayat İçin Oyun Planı: Mentorluk Nedir ve Hayatınızı Nasıl Değiştirir? İstanbul: Final Kültür Sanat Yayınları 1. Baskı. ISBN: 978-605-374-327-9

Wooden, John and Jamison, Steve (2004). My Personal Best. New York: McGraw Hill 1. Baskı. ISBN: 0-07-143792-4

Yavuzer, Haluk (2011). Ana Baba Okulu. İstanbul: Remzi Kitabevi.

—, (2007). Ana Baba ve Çocuk. İstanbul: Remzi Kitabevi.

—, (2012). Çocuğu Tanımak ve Anlamak. İstanbul: Remzi Kitabevi.

—, (2011). Taş Sektirirken Anıların Suyunda. İstanbul: Remzi Kitabevi.